LOUCO POR VIVER

ROBERTO SHINYASHIKI

LOUCO POR VIVER

Para Maria Isabel Fischer Cardoso,

José Ângelo Gaiarsa e Roberto Freire.

Meus terapeutas especiais, que me ajudaram a ser louco por viver.

Agradecimentos

Posso dizer com tranquilidade que tenho a equipe mais amorosa e dedicada que existe no mundo e você faz parte dela.

Escrever um novo livro é uma festa, porque eu posto ideias nas redes sociais, vocês fazem comentários inspiradores, que muitas vezes me inspiram a construir um novo caminho para realizar meus projetos.

Por isso, quero começar meus agradecimentos com você que participa da minha rede social e constrói meus projetos comigo. Que está on-line dia e noite, Natal e Ano-Novo, sempre disponível, participando de todos os momentos da minha vida.

Quero agradecer ao Gilberto Cabeggi por ter trabalhado comigo neste texto, inclusive aos sábados e domingos, com competência e dedicação, como tem feito em todos os meus livros nesses quase 30 anos de parceria.

Um obrigado do coração à Joyce Moysés, Daniella Foloni, Marcia Luz, Priscilla de Sá e Alessandra Ruiz, por terem lido meus originais todas as vezes em que foram reescritos e me ajudado com novas ideias. Cada uma de vocês a sua maneira foram fundamentais por essa criação.

Muitas pessoas leram os originais e deram suas opiniões e todos vocês foram importantes, mas em especial quero destacar: Ricardo Lemos, Elisangela Ransi, Letícia Krug, Ronan Mairesse, Isabele Schlossmacher, Teresa Amorim, Vivi Keller, Márcio Silva, Igor Medeiros e Alexandre Lacava.

Meu muito obrigado a Rosely Boschini, Ricardo Shinyashiki e Marília Chaves por terem participado do processo criativo da construção deste livro. E ao pessoal da Editora Gente, por serem sempre a minha base, sobre a qual eu posso trabalhar com tranquilidade.

Grato a Margaret Miraglia, Kelly Nascimento e Silvia Garcia, por cuidarem dos meus negócios para eu ficar com a mente livre a fim de realizar meus projetos.

Um agradecimento especial ao Flávio Venturini, pelos tantos momentos maravilhosos que me proporciona com sua música e amizade.

A todos vocês, leitores, desejo que Deus desperte sempre seus sonhos adormecidos e lhes dê coragem, energia e serenidade para conquistá-los.

sumário

11 Viva com intensidade

17 1. Dance a noite inteira

25 2. Qualidade de vida é viver apaixonado

31 3. Quando a paixão pela vida esfria
- 32 Medo
- 33 Pessimismo
- 35 Cansaço
- 36 Estresse
- 37 Importar-se demais com o que os outros vão falar
- 38 Impaciência
- 39 Comodismo e preguiça
- 40 Falta de persistência
- 41 O dilema entre realizar metas e viver o momento
- 45 Como manter a chama sempre acesa

49 4. Seja feliz apesar dos problemas
- 50 Lembre-se dos bons momentos
- 54 Não seja vulnerável aos outros

5. Respeite o que alimenta a sua alma — 59

- Conquiste a si mesmo — 65
- Mergulhe fundo dentro de você — 70
- Aceite suas imperfeições e ambivalências — 73
- Corrija a rota quando estiver no caminho errado — 77
- Abra o seu coração — 82
- Não deixe o medo das críticas afastar você do seu caminho — 87
- Procure ajuda profissional — 90

6. Compreenda a essência da vida — 93

- Tenha serenidade para enfrentar os desafios da vida — 97
- Integre sucesso e felicidade na sua vida — 98
- Construa a sua vida — 105
- Dê um tempo para as coisas acontecerem — 107
- Não se torne escravo dos momentos especiais — 109
- Procure fazer tudo com alegria — 111

7. Levante-se da cadeira e vá atrás do que lhe dá frio na espinha — 115

- Pratique o perdão — 120
- Evite reclamar — 122
- Deixe de reclamar e fuja do que não faz bem a você — 125
- Deixe de ser dependente — 128
- Comece a viver apaixonado — 132
- Conheça o funcionamento da sua mente — 137
- Cumpra o que você prometeu e respeite sua palavra — 141
- Respeite a escolha das pessoas — 143
- Seja um worklover — 145

149   8. Tenha um pensamento elevado

    151   Procure sempre ser gentil e doe pelo prazer de ajudar
    153   Cerque-se de pessoas amorosas
    156   Demonstre ao outro quanto ele é importante para você
    161   Atraia calma e serenidade
    163   Limpe o passado para construir o presente
    168   Procure o lado positivo das coisas
    170   Desenvolva uma atitude confiante
    172   Aprenda a dizer sim

175   9. Aceite o convite para o novo momento da sua vida

179   10. Coloque um sorriso no rosto das pessoas

aprender
você
dançar
sabedoria
rir
despertar
parceria
pessoas
criar
autonomia
entusiasmo
felicidade
prazer
saúde
alegria
amor
equilíbrio
viver
crescimento
ajudar
família
paixões
consciência
coragem
determinação
sorriso
positivo
sim
cumplicidade
novo
compartilhar
aprender
vitória
desafios
ideias
objetivos
ação
oportunidade
presente
riscos
bem
relacionamentos
intensidade
sucesso

viva com intensidade

Eu adoro acordar todos os dias e saber que posso fazer algo significativo: viver! Pode dar certo ou errado, mas sei que vou fazer a minha vida valer a pena.

Fico triste em ver pessoas talentosas que simplesmente ficam olhando as oportunidades passarem diante delas sem fazer nada para realizar seus objetivos. Aliás, muitas nem mesmo têm objetivos.

Gosto de pessoas que ousam, pois o pior da vida não é ser rejeitado, e sim não arriscar amar.

O mais triste da vida não é o fim de um grande amor, mas nunca ter se apaixonado perdidamente por alguém.

O pior não é lutar e não conseguir realizar suas vontades e desejos, e sim matar um sonho antes de ele nascer.

O problema não é ser ridículo, mas viver a vida inteira na expectativa de agradar a todos.

Na minha vida, muitas vezes perdi... Mas sempre tive um amigo por perto para poder desabafar. Isso equivale a dizer que nunca fiquei pobre, porque quem tem um amigo é sempre milionário. E quanto mais a gente vive, mais constata que isso é verdade e não apenas um clichê.

Aliás, de que valeria a luta pela vida e tantos esforços se não fosse para compartilhar as vitórias com amigos e familiares?

Em outras vezes, ganhei sozinho na loteria da vida... Também nesses momentos tive alguém para desfrutar comigo essas vitórias... Ou seja, ganhei sem nem precisar do prêmio por ter vencido.

Uma coisa você pode ter certeza: vivi muitas realizações, desventuras e emoções. Gosto do que consegui, especialmente de ter criado cinco filhos muito queridos e ter ajudado muitas pessoas a realizar os seus objetivos.

Vivi experiências tão díspares, como ser um médico

que trabalhou em centro cirúrgico, ou dar palestra para iogues na Índia.

Desde vender milhões de livros populares, até obter meu doutorado em Administração na Universidade de São Paulo.

Ter acompanhado pacientes terminais em sua passagem, ou ter ajudado atletas olímpicos a conquistar suas medalhas.

Viajei por muitos lugares do mundo, conheci todos os tipos de pessoas, amei, fui amado, comemorei e sofri com meus filhos. Inovei em tudo o que fiz, fui criticado e elogiado, realizei meus talentos, toquei com Armandinho em cima de um trio elétrico no carnaval da Bahia...

A minha biografia vai ser um livro muito grosso.

Apesar do medo, das indefinições e dos desafios, cometi a loucura de me lançar no desconhecido. E saí de lá com uma sensação doce e agradável na boca: provei do sabor chamado "vida"!

Este livro é sobre arriscar a viver.

Sobre ter a coragem de viver suas paixões. Sobre deixar esse sentimento ser mais que um simples sentir sem explicação e sem aplicação.

Sobre ter a coragem de transformar suas emoções em ações que tornem sua vida mais bonita e feliz.

Não diga que a vida lá fora não lhe interessa. Dê-se a chance de experimentar.

Se sua vida está monótona, vá para a rua olhar pessoas de verdade, abraçar gente de verdade, viver emoções de verdade. Emoções virtuais até ajudam você a se sentir menos só, mas somente o calor de um abraço amigo ajuda você a entender o que é realmente viver.

Se você estiver pensando que não tem muitas pessoas para abraçar, tudo bem. Nunca, porém, é tarde para conquistar novos amigos. Vá fazer um curso de dança ou de culinária, vá a uma praça, converse com seus vizinhos.

> Experimente estender seus braços primeiro, e não apenas ficar esperando que alguém faça isso para você. Em pouco tempo, você terá muito mais pessoas para abraçar do que imagina ser possível.

Atreva-se a andar por caminhos novos, experimentar novas sensações, curtir novas emoções, plantar novas sementes, colher os frutos de sementes plantadas no tempo.

Convide um amigo ou, quem sabe, aquele grande amor da sua vida para um drinque. Abram uma garrafa de um vinho especial e, juntos, façam um brinde à vida!

Dizem que os apaixonados fazem loucuras porque se deixam levar mais pelos sentimentos que pela razão.

Se é assim, apaixone-se pela vida e curta a loucura de viver!

Viva loucamente. Viva tudo o que sua loucura imaginar... Sem medo de se arrepender.

Acredite que você pode fazer diferente, fazer do seu jeito. Ouse mudar as regras do jogo e fazer do jeito que você sente, sem ser tão politicamente correto. Invente o *script* da sua vida. Somente assim você vai ser feliz.

Somos seres únicos, feitos em formas únicas. Por isso, para viver plenamente precisamos acreditar na nossa singularidade, naquilo que só nós podemos ser.

Resista ao senso comum que leva você a ficar dentro da caixa, a fazer o que todo mundo faz, a sentir o que todo mundo sente, a reclamar sempre das mesmas coisas: da correria, do estresse, da falta de tempo...

Para ser feliz, você precisa se libertar.

Lembre-se sempre de que esta é sua vida. Por isso, faça o que você ama, com paixão, com intensidade e amor. Se você quer ser feliz de verdade, se quer se empolgar, se quer se envolver com a vida, seja você a sua mais completa e repleta essência.

Tenho certeza de que, com essa atitude, você até pode se arriscar a sofrer mais, mas também vai poder viver mais e ter muito mais histórias para contar.

Eu torço sempre para que você seja cada vez mais feliz!

Um grande abraço,
Roberto Shinyashiki

> Seja sempre um louco por viver.
>
> Intensamente.
>
> Completamente.

1

dance a noite inteira

Eu me arrependo dos momentos em que procurei mais me proteger do que **viver!**

Vou contar uma história para você entender o que estou dizendo.

Nunca recebi um não de uma mulher quando eu a convidava para dançar. É isso mesmo. Talvez você me ache pretensioso quando digo isso, mas é porque eu só agia quando o risco era mínimo. A verdade é que eu era muito covarde quando era muito jovem, e me arrependo disso. Vou explicar.

Na época da faculdade, eu tinha um grupinho que ia sempre junto aos bailes. Naquele tempo, os bailes eram em grandes salões, com as mesas todas colocadas em torno da pista. As mulheres ficavam sentadas, esperando ser convidadas para dançar.

Não tinha jeito. Se você quisesse dançar, tinha de atravessar todo o salão e ir até as mesas para convidar a garota. Só que, naquela época, as meninas mais valorizadas eram aquelas que davam o maior número de "tábuas" nos rapazes (tomar tábua era quando você ia tirar a menina para dançar e ela dizia não). E quando você tomava uma tábua, era a maior gozação do pessoal.

> Então, todo mundo ficava só na conversa mole e ninguém saía para tirar as meninas para dançar.
> E ninguém dançava a noite toda.

Como meu objetivo no baile era "não tomar um não", eu só convidava para dançar as meninas conhecidas, que eu tinha certeza de que iriam aceitar meu convite. E a verdade é que eu acabava dançando muito pouco.

Contudo, eu tinha um amigo chamado Paulão que dançava muito. Sabe por quê? Porque ele não se importava em receber um não. O objetivo dele era dançar muito.

Ele fazia assim: ia até um grupo de quatro meninas e convidava uma delas para dançar. Geralmente, ela dizia não. Então, ele não perdia tempo se sentindo rejeitado e ia para a segunda menina, e ela também dizia não. Sem perder tempo se lamentando, ele já convidava a terceira, que quase sempre também dizia não. E o Paulão respirava fundo e fazia o quarto convite. Quando ele chegava à quarta menina, ela já estava com tanto dó de ele ter tomado três nãos, que falava sim. E dançava com ele.

Desse jeito, o Paulão dançava a noite inteira.

Infelizmente, é exatamente assim que muita gente age na vida. Com medo de tomar uma "tábua" das oportunidades, evita "tirá-las para dançar". Não arrisca com medo de se machucar. O que acontece é que as pessoas acabam vivendo muito pouco e perdendo oportunidades.

Isso é muito comum quando se está procurando emprego. Com medo de receber uma série de nãos pela cara, as pessoas desistem antes de se dar uma chance de ir atrás de algo melhor, com medo de se sentirem inadequadas ou incompetentes.

> Muita gente se preocupa tanto com a própria imagem que tem medo de se expor por correr o risco de passar por alguém ridículo ou por ficar imaginando o que as pessoas vão falar. Só que ficam sem amigos.

As pessoas ficam assistindo aos filmes e imaginando como seria bom se aquela personagem bem-sucedida e feliz do filme fosse ela. Ou veem o perfil daqueles que são bem populares nas redes sociais e pensam como seria ótimo se elas fossem aquela pessoa da foto, com tantos amigos, amores, programas, além do carrão para passear naqueles lugares lindos que aparecem nas imagens.

É triste ver aquela esposa que passou a vida em casa, sempre esperando o marido voltar do trabalho, descobrir que ele está gostando de outra mulher. Ou aquela profissional, que nunca aceitou um convite para mudar de emprego, acabar sendo demitida porque não evoluiu na carreira.

Não estou falando para você trair seu marido, nem trocar de emprego só porque foi convidada para trabalhar em uma nova empresa, mas para você viver sua vida e realizar seus sonhos, sem deixar sua felicidade para amanhã e muito menos na dependência dos outros.

A felicidade envolve correr riscos.

Ao se declarar apaixonado por alguém, por exemplo, você corre o risco de ser rejeitado.

A felicidade, no entanto, precisa que você deixe a paixão falar mais alto que a razão. Procurar segurança faz parte da sua razão, mas correr riscos faz parte da sua busca pela liberdade de ser feliz.

Por isso, arrisque! Não procure se sentir seguro eternamente.

É lógico que a segurança é importante, mas quando ficamos no conforto de um hábito acabamos por deixar de viver.

Encarar mudanças é correr riscos.

Entretanto, é dar a si mesmo a chance de descobrir um mundo totalmente novo, perceber e dar a você motivações para expandir o seu ser para muito além do que você se imaginava capaz.

Para os jovens, por exemplo, deixar um emprego razoável para montar um negócio próprio pode representar riscos extras, mas também pode abrir infinitas chances de viver mais a fundo seus sonhos e seus desejos de realização.

Fazer escolhas é muito importante na sua vida, e quando você escolhe somente pensando em segurança, sem levar em conta o que é importante de verdade para você, em geral sua vida fica sem gosto, as coisas ficam sem sal nem açúcar. E qual é a graça disso? Comer palmito pode ser muito gostoso, mas quem é que aguenta comer palmito sem tempero todos os dias?

Por isso, na vida, você não pode dar tempo para se sentir rejeitado. Tomou tábua, parta para outra rapidamente! Sua solicitação de amizade no Facebook foi ignorada? Procure outro amigo na rede. Existem milhões deles procurando por alguém como você.

Recebeu um não, siga adiante, sem dar tempo para se sentir incapaz, inadequado, incompetente, ou qualquer coisa desse tipo. Simplesmente arrisque! Na sua carreira, aprimore seus conhecimentos e suas habilidades, amplie seu currículo e vá para outra empresa.

Pare de se preocupar com sua imagem e comece a colocar sua energia em fazer o que você está com vontade de fazer. Você não pode mudar imediatamente o que os outros pensam a seu respeito, mas pode mudar o que você pensa deles.

Por isso, viva seus sonhos e compartilhe suas emoções mais verdadeiras.

Falo isso porque é o que tenho feito em minha vida toda. E tem dado certo!

Quero dizer para todos que estão sem sede de viver que existe um caminho muito legal. Um caminho que trilho há décadas e que dá certo, que empolga, que me deixa feliz em seguir criando, prosperando, ajudando os outros e me divertindo.

Tenho visto muita gente desmotivada, desanimada, dos mais jovens, de vinte e poucos anos, que já não se empolgam com uma carreira, aos mais vividos, que sentem que nada valeu a pena.

Adoro viver, mas principalmente tenho adoração por andar em caminhos que ainda não conheço.

Eu nasci muito pobre, trabalhei desde cedo, tive algumas separações afetivas, tenho um filho que vive muito doente, perdi dinheiro em vários negócios, fui traído por pessoas em quem confiei, mas nem por isso deixei de ser um apaixonado por viver.

Ah! Preciso ainda dizer que tenho cinco filhos que amo muito (o que significa que na minha vida existem muitos conflitos também), um casamento muito cúmplice, sócios que adoro, e uma carreira muito bem-sucedida.

Muito disso só aconteceu porque eu tive e tenho a coragem de arriscar, indo sempre atrás daquilo pelo que sou apaixonado.

Hoje tenho em meu currículo uma formação como médico e psiquiatra, um mestrado, um doutorado, participação em três olimpíadas ajudando atletas de alta performance, especialidade em técnicas psicoterapêuticas orientais e ocidentais, especialista em análise transacional, palestrante internacional, autor com mais de sete milhões de livros vendidos, entre tantas outras realizações.

Essas conquistas não teriam acontecido se eu tivesse deixado que meus medos fossem maiores que minha vontade de me realizar.

Eu tive muito medo que meu primeiro livro, *A carícia essencial*, ficasse encalhado nas livrarias. Contudo, isso não me impediu de manifestar toda a minha paixão ao escrevê-lo. Fui em frente e ele se tornou meu primeiro *best-seller*.

Também tive muito medo de não conseguir me tornar um palestrante de grandes convenções. Afinal, sempre fui muito introvertido. Entretanto, com a ajuda de alguns amigos consegui me tornar um dos melhores palestrantes do mercado.

Não tenho a mínima preocupação se durmo pouco por noite, nem se estou cansado. Meu foco é sempre para as coisas que eu quero viver e não para as limitações que eu possa ter.

Se você quer passar a noite dançando, arrisque-se a receber um monte de nãos. Sempre depois de alguns nãos, vem um sim. Além disso, é sempre melhor ir para casa com um não do que com a incerteza de que teria ou não recebido a tábua.

Se você nunca andou de montanha-russa porque tem medo de enjoar, mas bem lá no fundo do coração tem vontade de experimentar, vá e ande de montanha-russa... Vai valer muito mais você sair de lá enjoado do que passar o resto da vida frustrado porque nunca experimentou.

Se você está com vontade de apresentar um projeto para alguém importante, tenha a coragem de pedir uma reunião com ele e mostre do que é capaz. É surpreendente o número de encontros que acontecem porque alguém teve a coragem de simplesmente falar de suas ideias.

> Não valorize quantas vezes você recebe um não da vida, mas quantas vezes você trabalha para que aconteça um sim, e dance a noite inteira.

2

qualidade de vida é viver apaixonado

É impressionante o número de ideias, sonhos e paixões que morrem com as pessoas, porque elas nunca se atreveram a assumi-los e a colocá-los em prática.

Em geral, as pessoas têm medo do sofrimento, e acabam abrindo mão de suas paixões para manter a ilusão de segurança. Realmente, segurança não existe e, se você se apegar a ela, acabará perdendo a chance de viver suas emoções mais verdadeiras.

Certa vez, eu estava dando uma aula em um MBA em Ribeirão Preto e uma aluna falou, como que me desafiando: "Eu adoro ter qualidade de vida. Aqui em Ribeirão eu almoço todos os dias em casa. Eu e meu marido assistimos à novela todas as noites. No fim de semana, ficamos em nossa chácara vendo o tempo passar, pescando, assistindo a filmes e lendo livros. Para mim, isso é qualidade de vida!".

Eu respondi: "Se você gosta desse estilo de vida, tudo bem. Curta muito isso. Para minha maneira de ser, isso seria um tédio. Para mim, qualidade de vida é poder viver intensamente. Eu adoro viver em São Paulo. São tantas opções de shows, teatro, cinema, restaurantes, poder assistir a palestras sensacionais, encontrar meus amigos em um lugar especial... Sair com minha família para ir a lugares diferentes. Para mim, isso é qualidade de vida!".

A garota tem razão em pensar assim, mas eu também tenho a minha razão. Temos apenas maneiras diferentes de curtir a vida. E cada um de nós está feliz à sua maneira.

O complicado é quando a pessoa se prende a algo que não a torna feliz, e esquece de ver que existem outras opções para ela.

O importante é definir o que é qualidade de vida para você e o que faz você ser feliz, e viver isso intensamente.

Tenha coragem de estudar mais e criar projetos maiores. Se não derem certo, respire fundo e parta para um novo projeto. Não se dê tempo para se sentir derrotado.

Adoro ver jovens dormindo poucas horas por noite para entregar seus projetos no prazo e com qualidade. Adoro ver pessoas com mais de 70 anos com a ambição de mudar o mundo e apaixonados pela forma como podem contribuir para melhorar a vida das pessoas.

Por exemplo, a mãe de um amigo foi dona de casa até os 55 anos. Depois de encaminhar os filhos, voltou a estudar, fez um curso técnico de instrumentadora cirúrgica e conseguiu um emprego na PUC, onde trabalhou por 13 anos e fez muitas amizades. Isso fez com que descobrisse uma nova pessoa dentro dela, o que a tornou ainda mais feliz.

Admiro os criadores de negócios que batalham por seus sonhos e nunca perdem tempo para se lamentar dos tropeços e das derrotas sofridas.

Adoro o músico Herbert Vianna, pois, apesar de ter ficado com sequelas graves de um acidente, pegou novamente sua guitarra e agora canta a esperança para todos nós. É lógico que ele poderia ter fracassado na tentativa de voltar aos palcos, tendo uma limitação física tão grande, mas uma pessoa como ele não poderia deixar de arriscar voltar.

É lógico que viver apaixonado envolve riscos, mas se você for contabilizar tudo o que é somado na sua vida, *vai ver que vale a pena.*

Na minha lápide, vai ser possível escrever o título do livro do poeta Pablo Neruda: *Confesso que vivi*. E com muita, muita paixão!

Sem paixão não há solução. Roberto Freire foi um grande psiquiatra e escreveu um livro sensacional chamado *Sem tesão não há solução*, que seria ótimo que você lesse ao terminar este. Ele tem toda razão: sem tesão pela vida, não tem solução.

Cazuza dizia que "quando a pessoa não nasce maluca, tem de pegar no tranco".

Liberte-se da "sanidade" doentia de tudo o que lhe ensinaram sobre a maneira certa de viver.

Você pode ser uma locomotiva que sempre anda na estrada que desenharam para você, ou ser como um ciclista que decide os lugares que vai conhecer.
É você quem escolhe.

A felicidade só vem quando você se permite viver plenamente. Não existe felicidade quando seus sonhos mais íntimos são renegados, seja por medo, vergonha, seja lá por qual motivo for.

Certa vez, minha irmã me ligou e perguntou: "Você conhece algum lugar para eu saltar de paraquedas amanhã?". Ela tinha 56 anos e saltar de paraquedas não fazia parte do seu jeito de ser.

Fiquei muito feliz com essa iniciativa dela. Eu não

conhecia nenhum lugar de salto de paraquedas, mas ela acabou achando um. No dia seguinte, ela me ligou e disse: "Beto, eu saltei de paraquedas! Adorei...". Fiquei ainda mais orgulhoso dela.

Não existem limitações que impeçam você quando quer viver suas paixões!

Apaixone-se loucamente por viver! Não seja previsível!

Faça alguma coisa diferente. Expanda seus limites.

Jogue-se na vida!

Quebre as convenções. Ignore aquelas pessoas que dizem que você não pode fazer algo.

Não tenha medo de parecer ridículo, porque, no fundo, **todos nós em algum momento da vida vamos ser muito ridículos**. O que muitos chamam de ridículo, as pessoas verdadeiramente felizes chamam de viver com alegria e paixão, sem se importar com o que os outros vão dizer.

Por isso, desligue agora mesmo a televisão, telefone para uma pessoa especial e vá para a rua conversar com ela, olhando nos olhos.

> Apaixone-se por aquilo que você quer e viva intensamente.

Se você está apaixonado por uma pessoa, vá até ela e convide-a para sair. Mesmo que você receba um não, já vai ter vivido a emoção de se declarar e saber que tentou. Já valeu a pena.

Se você não conseguiu vender para um cliente, não gaste tempo se lamentando. Apaixone-se pela nova oportunidade de vendas que virá e se prepare para o próximo cliente.

Apaixone-se pelo seu trabalho. Curta planejar, decidir e realizar os seus objetivos. Tenha prazer em ajudar as pessoas naquilo em que você trabalha.

Apaixone-se pelo que você faz mais do que pelo comodismo de ficar na cama até tarde.

Essa é a magia da vida: é preciso viver abundantemente, com intensidade, tudo o que faz sentido para o seu coração.

É preciso "ferver" e não apenas passar de modo morno por esta vida, que é tão cheia de esperanças, expectativas e oportunidades para fazermos tudo realmente acontecer intensamente!

A paixão faz a gente ferver! A temperatura da vida sobe e ela ganha qualidade quando vivemos nossos dias com a força da paixão.

3

quando a paixão
pela vida esfria

É preciso viver com paixão, mas muitas pessoas já não encontram essa chama ardente dentro de si, não acham mais a energia que as move adiante, não sentem mais o impulso jovem e fresco de ir atrás de buscar tudo o que a vida é capaz de dar.

Você pode estar querendo me perguntar: "Roberto, por que as pessoas perdem a paixão por sua vida?". Eu diria que são vários os motivos, mas elencarei aqui os mais frequentes.

Medo

Muitas pessoas não vivem intensamente porque têm medo de correr riscos. Já falei um pouco sobre isso. Elas possuem necessidade exagerada de proteção e por isso evitam expor-se ao desconhecido.

Contudo, viver envolve correr riscos. Proteger-se é como construir um enorme muro ao redor de si, como o dos castelos medievais. Porém, tudo o que protege acaba também limitando você.

Um fotógrafo me contou uma história dramática que é exemplo disso. Ele sempre teve medo de fazer atividades que considerava perigosas, como andar de moto ou *jet sky*. Nunca tinha andado numa montanha-russa, com medo de que algo desse errado.

Um dia ele foi atropelado enquanto esperava o ônibus para ir para casa. O acidente foi tão grave que quando ele chegou ao hospital ouviu uma das enfermeiras comentar com outra: "Não sei como ele ainda está vivo!... Acho que não sobrevive mais que uma hora".

Quando ele escutou essa conversa, bateu um desespero e ele pensou: "Meu Deus, eu passei a vida inteira sem fazer nada perigoso, com medo de que acontecesse algo errado, e agora posso morrer porque fui atropelado esperando um ônibus!".

Então, ele prometeu a si mesmo que se sobrevivesse faria tudo o que sempre teve vontade, mas não fez por medo de que algo errado acontecesse.

A ideia aqui é que você não deve se proteger além da conta, porque pode não ser o bastante para livrar você do mau, mas poderá impedi-lo de viver o bom.

Pessimismo

Tem gente que só olha para as desgraças e consegue se sentir infeliz o tempo todo, enquanto outros sempre procuram as oportunidades e por isso a esperança sempre mora em sua alma.

Os pessimistas acham que sempre vai acontecer o pior, e por isso desanimam da vida, esquecendo-se de que ela traz boas experiências, e não apenas as ruins.

Assim, quem treina seu olhar para ver só as desgraças acaba enxergando apenas isso em tudo.

Quando a mulher está grávida, ela percebe todas as grávidas. Parece que só há mulheres grávidas no mundo.

Viver de maneira infeliz é um estilo de vida. Quando seu estilo de vida está mais voltado para as coisas que o machucam, que o magoam, que fazem você se sentir para baixo, tudo o que você pode esperar é a infelicidade.

> Quando você assiste ao noticiário, o que chama mais sua atenção: as desgraças do mundo ou as alegrias que as pessoas estão vivendo?

Aliás, se você reparar vai ver que a própria mídia dá mais destaque para o sofrimento alheio. Isso dá muito mais "ibope".

Boa parte de você é o que você assimila. Portanto, é melhor selecionar os programas de TV. Recuse-se a começar o dia ouvindo sobre tragédias no telejornal.

Quando recebe uma promoção, você repara mais nas possibilidades do novo cargo ou se lamenta porque o aumento de salário não é lá aquelas coisas?

Hoje em dia existe muita infelicidade porque as pessoas fizeram da infelicidade o seu modo de viver. Parece até que existe certo status em ser infeliz e ter do que reclamar nas rodas de conversa entre amigos.

Contudo, é muito importante entender que, da mesma forma que a infelicidade é um estilo de vida, a felicidade também é.

Da mesma maneira que para ser infeliz basta que você passe a olhar para as coisas tortas e desagradáveis que existem no mundo, para ser feliz você precisa ter um estilo de vida concentrado no bem, nas coisas boas e na felicidade.

Quando seu estilo de vida valoriza a felicidade e as coisas que lhe fazem bem, você se torna feliz. Para ser feliz, é preciso abandonar esse modo infeliz de ser e cultivar um estilo de vida positivo. Você vai ficar impressionado com a quantidade de pessoas felizes que existe no mundo.

Cansaço

As pessoas que perdem a paixão de viver sentem-se o tempo todo cansadas. As pessoas vivem exaustas porque trabalham muito em coisas que não têm a ver com a sua essência. Por isso, sua energia vai embora e elas não se recarregam com o que dá prazer.

Ficam tão cansadas que, na maioria das vezes, não curtem o que fazem e por isso querem apenas terminar o dia para dormir e terminar a semana para poder descansar.

No fim de semana, elas têm tantas coisas atrasadas para fazer que passam a desejar que a semana recomece logo, para voltar ao trabalho.

Nessa sucessão de rotinas exaustivas, a vida passa sem dar a chance de a pessoa ter prazer no que faz.

Quem tem prazer no que faz retira energia de sua atividade e recarrega suas baterias. Quem não tem prazer gasta toda sua energia porque as atividades são desgastantes, e termina sempre exaurido e sem forças para nada.

Estresse

As pessoas vivem muito estressadas o tempo todo, e isso faz com que acabem preocupadas em evitar conflitos. **Por isso, elas anestesiam a própria sensibilidade para não sentir dor, porém, quem tem os sentidos anestesiados também não sente o prazer de viver.**

É como o caso daquela esposa que está cansada da rotina de sua vida e não tem prazer em fazer sexo com o marido egoísta, que nunca pensa nela. Ela imagina que se falar da sua frustração sexual vai começar uma fase de brigas. Então, ela prefere se calar e acaba perdendo a oportunidade de viver um grande amor com o marido.

Ou o caso do profissional que tem grandes ideais e vive sempre angustiado e cansado porque trabalha em um hospital onde os recursos são sempre insuficientes. Ele acaba se calando ao ver tantos absurdos sendo cometidos e por se ver tão impotente diante disso que sua autoestima vai para o lixo.

Então, valorize suas prioridades. Converse com as pessoas sobre o assunto quando algo não estiver bom para você. Fale com seu chefe, abra o coração para os amigos, converse com seu companheiro, compartilhe seus sentimentos com seus filhos. Ou então busque outra situação, ou outro lugar, em que você possa se sentir melhor.

Importar-se demais com o que os outros vão falar

Existe tanta gente dando palpite na vida das pessoas que elas acabam confusas sobre o que querem fazer. Aliás, as pessoas acabam achando mais fácil dar ouvido aos outros do que consultar seu coração.

Às vezes, a pessoa resolve calar a boca de todo mundo que dá palpite na sua vida e decide que não vai fazer o que as pessoas querem, mas, ao mesmo tempo, ela não sabe o que fazer com a própria vida. E não faz coisa nenhuma, fica adiando eternamente suas decisões e deixa a vida simplesmente passar.

A maneira mais fácil de perder a paixão pela vida é deixar que os outros tomem conta dela por você.

Por isso,  é fundamental assumir as rédeas da própria vida e aproveitá-la por inteiro.

Impaciência

Outro problema que faz as pessoas perderem o prazer de viver é que elas sempre abandonam projetos importantes porque querem tudo para ontem. A maioria das coisas que foram abandonadas teria dado certo se a pessoa tivesse um pouco mais de paciência.

A velocidade do mundo tecnológico, com tudo acontecendo em rapidez impressionante, acabou com a paciência das pessoas.

Às vezes, as grandes realizações estão justamente no *insight* que você tem num momento em que desacelera. Uma ideia que vale um milhão de dólares, ou que corta um caminho enorme, precisa, para surgir, que você esteja relaxado e feliz. Quem vive correndo, quem vive sufocado, quem vive estressado dificilmente tem *insights* poderosos.

É preciso compreender que é necessário dar o tempo certo para conseguir as coisas.

As pessoas não sabem mais esperar nem conquistar aquilo que desejam. Estão sem paciência para dar o tempo necessário para os projetos se realizarem. Elas querem tudo na hora e quando não conseguem ficam irritadas.

Há pais que querem que os filhos adolescentes tenham o comportamento de um adulto. Há pessoas que querem ter lucros em um negócio recém-iniciado. Converso com jovens que muitas vezes estão aflitos porque sua carreira não decola, mas eles nem percebem que são recém-formados e estão apenas nos primeiros anos de trabalho.

Existem pessoas que sonham fazer uma faculdade, mas desanimam e acabam não se matriculando pelo fato de não ter paciência de ficar cinco anos estudando. Por isso, ficam sofrendo por não terem coragem de dar o primeiro passo.

As pessoas não curtem o processo. Querem apenas ver o resultado final, e acham que nada tem graça.

Comodismo e preguiça

Muita gente prefere ficar no conforto do mundo e da rotina conhecida, dos hábitos e das situações familiares e perde a oportunidade de sentir que a vida pode ser mais e diferente.

Outras pessoas deixam-se levar pela inércia do falso bem-estar e ficam com preguiça de viver novas situações.

Quem vive assim não expande seus limites e não conhece novos horizontes. Quem vive assim envelhece porque para de fazer coisas que dão trabalho ou que oferecem riscos e ficam alheias às coisas assistindo do sofá a vida passar.

Em uma conversa com um amigo solteiro, ele me confidenciou: "Sexo dá muito trabalho. Paquerar, arriscar tomar um não, fazer esforço, suar, correr o risco de a garota pegar no pé depois. Prefiro comer um belo espaguete com um bom vinho".

Não é à toa que ele está ficando cada dia mais gordo, e perdendo uma das partes mais deliciosas da vida!

É uma pena que ele está deixando escapar a chance de **viver**.

Falta de persistência

As pessoas desaprenderam a conversar e a resolver as diferenças. Por isso, elas preferem abandonar um sonho, em vez de conversar para realizá-los. Em vez de pensar em melhorar uma situação, as pessoas decidem abandoná-la.

Quando o casamento está ruim, elas preferem se separar. Quando o namoro não vai bem, preferem trocar de parceiro. Se o emprego não está bom, largam tudo e partem para outra empresa.

Tudo bem que tem hora em que é preciso mudar, mas hoje as pessoas estão abandonando tudo ao primeiro sinal de desconforto, sem nem mesmo pensar na possibilidade de resolver o problema que está causando aquele mal-estar.

O dilema entre realizar metas e viver o momento

Geralmente, as pessoas traçam metas na vida e condicionam sua felicidade à realização desses objetivos. Desse modo, pensam que serão felizes apenas quando atingirem o que planejaram e adiam sempre a felicidade de viver.

Sempre que a pessoa condiciona a felicidade à realização de um objetivo, ela perde o único momento em que é possível ser feliz: o agora! As pessoas colocam a felicidade no futuro e não percebem que têm de ser feliz a cada momento.

> Quem condiciona a felicidade à realização de uma meta vive como uma pessoa perdida no deserto, andando atrás de uma miragem que nunca vai se materializar.

Há outras pessoas que colocam a felicidade no passado. Tenho um amigo que vive no ontem, pois ele foi muito feliz e intenso naquela época. Hoje vive à base de remédios para depressão e tratamento psiquiátrico, só ouve músicas dos anos 1980 e quer falar apenas daquele tempo. Nostalgia total. Pessoas assim não percebem que, como disse o Lulu Santos: "Nada do que foi será de novo do jeito que já foi um dia". Entretanto, tudo pode ser melhor hoje.

Algum tempo atrás, eu atendi um dos maiores empresários brasileiros. Quando ele entrou em meu escritório, pude ver seu olhar triste e cansado. Depois de alguns minutos de silêncio, ele me perguntou: "Roberto, por que eu tenho tanto sucesso profissional, mas na minha vida pessoal sou um fracasso total?".

Sem me deixar responder à sua pergunta, ele começou a contar suas angústias pessoais: um casamento sem amor, relacionamentos extraconjugais, distanciamento dos filhos e netos, remédios para dormir, uma história completa de desajustes. Quando terminou de falar, repetiu a pergunta inicial: "Eu realizei todas as metas de minha vida, mas não sou feliz. Por que não consigo ser feliz na minha vida pessoal como tenho sucesso nas minhas empresas?".

O que você precisa para ser feliz agora?

Sem hesitar, respondi: "Para ter sucesso, você tem de ter metas, mas para ser feliz você não pode ter metas. Deve viver a vida com intensidade, com paixão, e apenas deixar a felicidade chegar".

> Imaginar que você vai ser feliz no futuro, quando realizar um objetivo, é fazer da sua vida um peso a ser carregado.

A maioria dos bilionários nunca relaxa quando realiza um objetivo. Se o seu objetivo é fechar um contrato gigantesco, no momento em que conseguem realizar isso já colocam outra meta na frente. Nem mesmo se dão um tempo para comemorar essa vitória.

Pior ainda: muitas vezes ficam frustrados porque, mesmo tendo saído vitoriosos da negociação, ficam pensando que aquele contrato poderia ter melhores condições.

Se você vive se impondo uma sequência de metas a serem atingidas, é provável que não se dê sequer a chance de se sentir vitorioso.

Infelizmente, as pessoas vão colocando de lado as coisas pelas quais são apaixonadas e quando acordam para a vida descobrem que se esqueceram de si mesmas. Deixaram sua alma em algum lugar do passado e por isso mesmo não viveram tudo o que poderiam e gostariam.

Quando você condiciona a felicidade à realização de um objetivo, destrói a possibilidade de ser feliz. Porque os objetivos na maioria das vezes levam muito tempo para se realizar, e a felicidade precisa acontecer a cada segundo da sua vida.

Não quero dizer que sou contra traçar metas. Metas são importantes e fundamentais, e você precisa buscar realizá-las. Sou contra imaginar que você vai ser feliz somente quando realizar essas metas. A felicidade tem de estar presente a cada passo da sua jornada.

Se você está cursando a faculdade, curta estar fazendo o curso e não fique sonhando com o dia em que vai se formar.

Se você pretende se casar, não deixe para ser feliz só depois do casamento. Aproveite o namoro, seja feliz também nessa fase da vida que é tão rica em emoções.

Se você não está vivendo um relacionamento afetivo, curta estar solteiro. Você pode sair com as amigas e os amigos, ficar em casa sozinho, cuidar das suas coisas, viajar com quem você quiser e ir para onde quiser e nessas idas e vindas, curtindo sua liberdade amorosa, certamente vai surgir uma pessoa legal para dividir o seu coração.

Pensar assim é realmente muito libertador... É muito gostoso isso!

Se uma pessoa querida está muito doente, aproveite que seus sentimentos estão à flor da pele e vá conversar com ela, falar do seu amor, lembrar momentos gostosos que viveram juntos, pedir perdão por algo que você fez de errado. Diga "eu te amo" para essas pessoas, não permita que algo de ruim ocorra com elas sem que você diga o quando ela é importante para você. Busque coragem para que depois não venha o arrependimento por não ter dito o que sentia. Quando ela se curar, aproveitem para fazer os passeios que vocês se prometeram curtir.

Como manter a chama sempre acesa

> Se você estiver emperrado em uma das causas que levam à perda da paixão pela vida, é chegada a hora de deixar o marasmo de lado, tomar fôlego para começar a cuidar de si mesmo e reacender essa chama que dá tanto prazer à vida, para que você tenha muito mais felicidade em seus dias e curta muito a loucura que é viver.

Para isso, você pode pensar que existem duas maneiras de viver, da mesma forma que existem duas maneiras de fazer uma viagem:

1 A primeira é sair apressado, ansioso, olhando somente para a frente, como se você não quisesse chegar atrasado em seu destino e como se precisasse estar atento e preocupado com tudo, com o horário, com os percalços e os problemas. Provavelmente, essa será uma viagem tensa, e você viverá como se estivesse sempre devendo alguma coisa a alguém.

2 A outra é sair tranquilo e despreocupado, e viajar com o propósito de olhar e contemplar a paisagem, conhecer as pessoas, curtir lugares novos, aprender com as pessoas que lhe fazem companhia, sorvendo cada perfume da estrada, admirando cada pôr do sol e cada amanhecer no caminho. Essa certamente será uma viagem que dará prazer e fará você se sentir feliz.

Pessoas loucas por viver viajam pela vida da segunda maneira. Elas aproveitam cada momento e não se limitam a passar pela vida economizando amor e sendo prisioneiras do medo.

Curtem as surpresas da viagem e não ficam com a cara enfiada no plano de viagem, perdendo a magia que está acontecendo ao lado. Elas se entregam a cada momento e não vivem economizando afeto para usar com alguém um dia no futuro. Elas não são avarentas. Trabalham com entusiasmo e se divertem com alegria.

Certa vez um amigo me falou: "Eu não quero ser o sujeito mais rico do cemitério". É verdade! Ele tem razão. Que sentido teria tudo nesse caso? **Os loucos pela vida são sujeitos que se recusam a ser os mais ricos do cemitério, porque eles preferem usar toda a riqueza de sua vida para realizar suas paixões**. Eu também não quero ser o sujeito mais rico do cemitério, nem ser lembrado por quanto dinheiro ganhei ou deixei para os outros.

Eu gostaria muito que as pessoas se lembrassem de mim como alguém que fez parte de suas vidas e viveu com intensidade todas as suas emoções e compartilhou cada momento de prazer com a vida e com as pessoas ao redor. Gostaria de ser considerado um maluco por viver e pela vida.

Para viver assim, é preciso cultivar as atitudes que os loucos pela vida cultivam. Em especial, será fundamental praticar estas cinco atitudes:

1. Seja feliz apesar dos problemas.
2. Descubra o que alimenta sua alma.
3. Compreenda a essência da vida.
4. Levante-se da cadeira e vá atrás do que lhe dá frio na espinha.
5. Tenha um pensamento elevado.

Nas próximas páginas, falarei bastante sobre como fazer de cada uma dessas atitudes um hábito de vida. Certamente, ao viver tudo isso na prática, a chama da sua paixão de viver ficará sempre acesa e brilhante.

4

seja feliz apesar dos problemas

As pessoas em geral dizem que não conseguem ser felizes porque têm muitos problemas. Contudo, preciso dizer uma coisa muito importante: problemas não trazem infelicidade.

Problemas só trarão infelicidade se você deixar que eles se tornem maiores que suas motivações.

Eu acredito na felicidade e acredito mais ainda que ela está ao nosso alcance. Problemas todos temos e teremos a vida inteira. Por isso mesmo, o segredo da vida é ser feliz apesar das dificuldades que nos aparecem o tempo todo.

Admiro as pessoas que sorriem por pior que seja o momento que estão vivendo.

Por isso, quando aparecer uma dificuldade, enquanto busca resolvê-la, não deixe o mau humor tomar conta de você. Saiba separar as questões difíceis do todo de sua vida e não se deixe envolver pela energia negativa que as pessoas costumam associar aos problemas.

Você pode encarar os problemas como oportunidades para ampliar a interação com a vida e aumentar a capacidade der ser feliz e ultrapassar as dificuldades.

Então, curta sua vida apesar dos problemas, e faça deles uma razão a mais para se sentir vivo e capaz de modificar para melhor as coisas ao redor.

Lembre-se dos bons momentos

Apesar de todos os sofrimentos pelos quais você pode estar passando, não se revolte nem perca os momentos especiais que acontecem todos os dias. São eles que vão fornecer a você a energia necessária para passar pelas fases complicadas. Curtir a vida vale a pena. Perceba e aproveite as coisas simples que trazem alegria a você:

- Brinque e divirta-se com sua filha!
- Dê um beijo na pessoa que você ama.
- Tome um suco saboroso com seu irmão.
- Almoce com seus pais.
- Faça algo para relaxar: um passeio ao ar livre, uma visita a alguém, um banho morno, uma massagem reconfortante etc.
- Viva a emoção de ver um pôr do sol ao lado de bons amigos.
- Ouça sua música favorita.
- Dance todos os dias com a mulher da sua vida.
- Curta fazer alguém sorrir todos os dias.

Apesar de todas as possíveis contrariedades, das pessoas negativas e das frustrações inevitáveis, viver com paixão que dá prazer torna a vida muito mais linda. Lembre-se de que, por piores que sejam, os problemas passam, acabam ou são de alguma maneira solucionados. Na pior das hipóteses, é apenas uma questão de tempo.

Problemas não são castigos, mas uma oportunidade para você aumentar sua capacidade de resolvê-los.

Na minha vida, aprendi a lidar com as dificuldades por causa da doença de meu primeiro filho, o Leandro.

O Leandro nasceu com dezenas de calcificações no cérebro, pois tinha paralisia cerebral. Os médicos deram uma previsão de que ele viveria apenas alguns meses. Contudo, no meu coração, eu sabia que podia fazer muito mais do que simplesmente aceitar isso e reclamar da vida.

Minha paixão por viver ao lado do meu filho por mais tempo fez com que eu lutasse com todas as forças e meu amor por ele para dar a ele todas as chances de vida que fosse possível dar.

E já faz mais de trinta anos que eu o tenho ao meu lado, me dando alegrias. O Leandro não fala e raramente se comunica, mesmo que seja só com o olhar. Às vezes, alguma pessoa questiona se eu acho que valeu a pena tanto esforço e dedicação para mantê-lo vivo. Eu respondo que um único sorriso dele faz tudo ter sido válido.

Sou apaixonado por esse sorriso! Sou apaixonado por sentir que o Leandro está comigo e que, do jeito dele, ele sabe que é muito amado.

É lógico que há alguns dias em que fico imaginando como ele seria se não houvesse tido a doença, mas, no minuto seguinte, ele me convida a fazer alguma coisa e eu esqueço todo o resto só para aproveitar a companhia dele e a felicidade de estar com ele.

O que seria da alegria do domingo de descanso, se não houves-

> **Os momentos difíceis são importantes para que os de felicidade realmente façam sentido em nossas vidas.**

se os dias de semana de trabalho duro?

A maneira de superar uma dificuldade pode ser sempre escolhida, como no exemplo da viagem, que eu mencionei. A dificuldade será a mesma se você enfrentá-la com tensão ou com passividade, porém a segunda maneira será muito menos desgastante.

Uma vez, saí com um grupo de amigos para pescar e no meio do lago, o motor do barco pifou. Era uma época sem celulares e não dava para pedir ajuda. Então, a solução foi trazer o barco de volta remando. Só que a água e a comida já estavam no fim e a viagem de volta seria longa.

No meio desse drama, um dos meus amigos começou a reclamar e a implicar com os outros. Até que o outro falou, com energia: "Espera aí! Vamos parar com esse baixo astral. Ter de levar o barco no braço, sem água nem comida, ainda vai... Mas ter gente com mau humor na turma ninguém aguenta!".

Quando estiver passando por um momento difícil na vida, gaste um tempo procurando opções, mas reserve também um tempo para perceber como a vida é interessante e cheia de alternativas.

Busque coisas que lhe dão prazer e se proponha a vivê-las. Você vai ver que a vida vai se tornar muito mais bonita e interessante. Isso vai lhe trazer mais energia para que enfrente os obstáculos e supere suas angústias e frustrações.

Não seja vulnerável aos outros

Muitas vezes você acorda bem, feliz, radiante, mas aí sua mãe pega no seu pé porque você deixou o quarto bagunçado, e sua alegria parece que vai embora, como o ar que escapa de um balão furado.

Há dias em que você chega em casa feliz, satisfeito consigo mesmo e louco para abraçar e beijar seu companheiro ou companheira. Quando abre a porta, antes que possa dizer alguma coisa, ouve a reclamação porque você chegou tarde. Então, sua alegria escorrega para o ralo.

Às vezes, você está animado, orgulhoso e feliz em uma reunião de trabalho e apresenta para todos um volume de vendas excepcional. Sua equipe se superou e vendeu muito mais do que poderia ser esperado. Então, você ouve o diretor de produção reclamar que a empresa não tem condição de produzir tudo o que você vendeu. É um balde de água fria em cima de seu entusiasmo.

Como é possível ser feliz em um ambiente negativo, em que as pessoas sempre encontram uma maneira de acabar com sua felicidade?

É possível sim, sempre. É sempre possível ser feliz independentemente do que os outros tentem fazer a você. Isso é verdade, porque as pessoas podem, no máximo, convidar você a se sentir infeliz, mas é você quem decide se aceita o convite ou não.

Por tudo isso, eu digo a você que ser feliz é muito simples. É tão simples quanto ser infeliz... Depende apenas de qual das opções você quer para sua vida.

Muitas pessoas me perguntam, ao fim das minhas palestras, se conheço alguém verdadeiramente feliz. Digo: "Eu sou feliz!". E isso não significa que não tenho problemas e desafios como todo mundo. Há dias em que acordo mal-humorado. Às vezes, me irrito muito. Em outros dias, tenho insônia, porque fico preocupado com meus dilemas.

Você é apaixonado por viver?

Contudo, o mais importante é que sempre procuro um caminho para melhorar e viver os meus valores. Sempre procuro descobrir alguma vontade intensa minha e então procuro vivê-la. E aquele dia infeliz aos poucos se transforma em alegria, como se fosse por mágica.

Sonhos verdadeiros, motivações legítimas e paixões do seu coração, quando vividos e realizados, fazem milagres para aumentar a felicidade.

Você se sente feliz?

Não deixe ninguém, nem nada do que acontece, tirar o sorriso do seu rosto. Nem as lágrimas de dor podem impedir você de sorrir no momento seguinte.

Assuma as rédeas de sua vida e perceba que a cada momento você pode escolher ser feliz ou infeliz, apesar dos problemas. Não jogue nos outros a responsabilidade pelo modo como você se sente. Só você é responsável por isso!

Deixe que os outros reajam como quiserem. Não ligue para eles! Deixe cada um com seu próprio jeito de pensar e siga em frente.

Mantenha-se saudável, destilando sempre em sua mente a energia da felicidade!

> A felicidade acontece quando você harmoniza o que pensa e sente com o que diz e faz. Ela precisa da sua paz de espírito para acontecer. E ninguém tem paz de espírito quando está cheio de contradições em sua mente.

Por isso, suas ações precisam ser o melhor exemplo daquilo que você diz. E o que você diz precisa revelar o que você realmente pensa. E o que você pensa precisa ser reflexo daquilo que você sente, das crenças que professa e das certezas da sua alma.

Ninguém tem o poder de decidir a sua vida e só você pode aceitar os convites dos outros para se sentir bem ou mal.

Você faz escolhas todos os dias, em todos os momentos. Para ser feliz, tudo o que é preciso é você escolher ser feliz a cada manhã. Ser feliz, apesar de tudo que possa estar tentando atrapalhar sua vida, apesar de tudo que esteja acontecendo no mundo.

5

respeite o que alimenta a sua alma

Quando a pessoa se conecta consigo mesma, com seu interior mais íntimo e verdadeiro, ela se coloca no estado ideal para alimentar sua alma.

Ela consegue encontrar seu propósito, a causa pela qual lutar, e passa a ver um sentido maior nas próprias atitudes. Vai atrás de seus objetivos e do que realmente quer.

Quem alimenta direito sua alma nunca se sente perdido, sabe sempre que direção tomar.

É lógico que fazer algo que não dá prazer costuma cansar mais. Por isso, mesmo ao realizar uma tarefa chata, que o chefe passou às seis da tarde, é importante estar conectado com propósitos que sejam significativos para você. Só assim você não se estressa nem perde o bom humor.

Você sempre pode optar por passar o dia inteiro tenso por ter um emprego de que não gosta e ao fim de cada dia vai ser complicado retribuir o sorriso da sua namorada, ter fôlego para encontrar os amigos ou contar histórias para seu filho pequeno dormir. Entretanto, você também pode se conectar à sua essência e tornar essa carga mais leve de ser carregada e sua vida mais gostosa de ser vivida.

Se você decidir viver com um companheiro que não ama mais, só para garantir sua segurança financeira ou o negócio que abriram juntos, vai ser quase impossível ter pique de se divertir quando saírem para jantar com os amigos ou viajarem juntos. Contudo, se você souber respeitar o que alimenta a sua natureza pessoal, vai encontrar coragem para resolver essa situação de modo que possa ser mais feliz.

Se você estiver cursando determinada faculdade só porque acha que dá dinheiro, sem que sinta lá no fundo aquela vocação, dificilmente participará das aulas, aprenderá de verdade e se destacará como um profissional de sucesso. Assim, se você procurar alimentar a alma com o que faz você feliz, vai ter iniciativa de mudar de curso e dar a direção certa para sua vida.

Pode ser que você tenha resolvido dedicar a vida a realizar os objetivos de outras pessoas. Se isso estiver acontecendo, nem todo esforço e dedicação do mundo serão suficientes para deixá-lo satisfeito, **mas nem tudo está perdido**. Basta que você comece a respeitar sua essência e buscar objetivos que dizem respeito àquilo que seu coração manda.

Conheço uma moça que adorava observar a estética dos prédios, passear pelo centro de São Paulo sempre olhando para o alto... Poderia ser uma arquiteta premiada, mas cursou enfermagem para seguir o pai, médico conceituado. Somente depois que ele morreu, procurou uma psicóloga especializada em orientação profissional e vocacional para ajudá-la a resgatar seu verdadeiro dom. Sabe o que ela descobriu? Que tudo o que realmente precisava ter feito era alimentar sua essência mais profunda com as coisas pelas quais era apaixonada. Essa foi a solução de todos os seus problemas de inadequação e infelicidade profissional.

Na verdade, as pessoas tomam essa ou aquela decisão acreditando ser a melhor naquele momento em que decidem e esperando encontrar lá na frente a felicidade, mas muitas vezes suas ideias, mesmo que bem intencionadas, as levam ao vazio existencial, porque estavam desconectadas da sua essência.

Então, não dá para dizer que o caminho estava errado. Apenas que essas pessoas pegaram um desvio do seu caminho e por isso sua alma continuou faminta por realização.

Foi assim com a moça que poderia ter cursado arquitetura, mas resolveu ser enfermeira: ela acreditou que seria feliz fazendo o pai feliz e que seria ótimo poder trabalhar com ele, que era a pessoa que mais amava nesse mundo. Não foi ótimo, foi frustrante, mas ela se deu uma nova chance de corrigir seu rumo e se tornou uma excelente arquiteta, feliz e realizada.

Sempre é tempo de corrigir um engano, quando você começa a dar ouvidos à sua essência, à sua alma, ao seu coração. Tudo começa com a coragem de arriscar fazer aquilo que faz sentido na sua vida.

Por exemplo, a pessoa pensa "eu adoraria conhecer o mundo, mas minha mulher me chamaria de louco". Entretanto, ele nunca conversou a sério com ela sobre esse desejo de dar uma guinada na vida. Talvez ela o apoiasse. Está aí a família Shürmann, que viajou por 20 anos num veleiro, para encorajar os mais aventureiros.

> Como costumo dizer, só tem uma coisa mais cruel que estar no caminho errado: é persistir nesse caminho com convicção.

E quanto maior for a velocidade que você colocar na sua trajetória por esse caminho errado, mais rápido você vai se afastar do seu verdadeiro objetivo de vida, aquele que trará sabor ao seu dia a dia.

Para não pegar o caminho errado, ou sair dele quando perceber que pegou um desvio, aprenda a conhecer e a dar-se aquilo que o alimenta de verdade, que traz significado para a sua vida.

É doloroso ver pessoas alcançando objetivos para, logo em seguida, descobrirem que foram justamente essas conquistas que as afastaram do prazer de viver. Basta pensar naqueles artistas de Hollywood que, depois que atingem o auge do sucesso, tentam se suicidar ou se entregam às drogas.

Para dar um exemplo mais próximo, talvez você conheça um casal que planeja comprar uma casa na praia. Os dois, em comum acordo, cortam cinema, jantares e pequenos mimos. Impõem aos filhos o mesmo rigor, sacrificando os passeios, as comemorações de aniversário, e exigindo que saiam com o tênis que aperta os dedinhos.

Quando finalmente o sonho vira realidade, os filhos já cresceram e, revoltados com tantas privações por longos anos, não podem nem ouvir falar na tal casa.

O casal, que não se habituou a cultivar momentos a dois, que não experimentou sabores diferentes juntos, que raramente trocou ideias sobre um filme ou uma peça de teatro, se vê entre aquelas quatro paredes. Um sem saber o que fazer com o outro, porque simplesmente não exercitaram o prazer de viver a dois.

Acabam se separando e tendo de vender a casa na praia para dividir o patrimônio, ou passam a viver se alfinetando por causa de tanta mágoa.

O que faltou nessa história? Faltou respeitar as pequenas coisas do dia a dia que servem para unir uma família, manter um casamento harmonioso e gostoso. Faltou respeitar o que a alma de cada um precisava para ser feliz a cada momento.

Quando você fica querendo usar somente a razão e a lógica para tudo, acaba não dando a devida importância ao que acende a fogueira em seu coração. Quando não se atira de cabeça naquilo que faz sua essência vibrar, com toda certeza você está pegando um desvio do caminho da felicidade.

> E não vou dourar a pílula: quem prefere se proteger na zona de conforto a experimentar o novo com alegria e paixão, não brilha e não atrai pessoas dispostas a partilhar sua vontade de amar e ser feliz.

Nos relacionamentos, quando você se conhece, consegue avaliar melhor se o seu estilo vai combinar com o da pessoa que escolhe para amar. Assim, poderão ter uma chance maior de conviverem em harmonia, respeitando suas individualidades.

Tudo muda quando você começa a dar valor às coisas que têm a ver com satisfazer suas vocações legítimas, pelas quais você é apaixonado e que o tornam importante para si mesmo, e o colocam em primeiro lugar.

Saiba o que alimenta a sua alma e respeite essa necessidade. Esse mergulho na sua essência vai fazê-lo se sentir mais feliz e dar a você motivos para sorrir para a vida. E o sorriso é um estimulante poderoso para fortalecer sua convicção de agir com paixão, e não só com razão, além de contagiar outras pessoas a também trilhar esse caminho.

Conquiste a si mesmo

Conhecer a si mesmo é o primeiro passo para conectar-se consigo próprio, é o princípio de tudo, como o filósofo Sócrates bem falou, porém, é preciso ir além. Para ser feliz, é preciso que você se apaixone por si mesmo e conquiste-se a cada instante.

A conquista de si mesmo é imprescindível ao ser humano que deseja obter o melhor da vida, e ela começa, de fato, por saber quem você é. Você, portanto, precisa se apresentar a si mesmo sem máscaras, enxergar-se por trás das aparências e dos personagens que criamos para nos defender.

É impressionante a quantidade de pessoas que procuram viver ou expressar coisas que nada têm a ver com o que verdadeiramente sentem, necessitam, buscam. Sabe aquela frase "cuidado com o que você deseja, porque pode conseguir"? Ela alerta para uma série de frases que falamos, mas que no fundo não nos trarão os frutos desejados.

Tantas pessoas sensíveis procuram mostrar que são duronas, por exemplo, até mesmo como autoproteção, porque não conhecem direito a força da sua bondade e da sua gentileza. Contudo, não há quem nunca tenha precisado chorar ou pedir ajuda. E não há também quem nunca tenha falhado.

As pessoas que vivem querendo agradar a todo mundo até podem conseguir isso durante um tempo, mas quem age assim acaba não agradando a si mesmo. Elas pagam um preço altíssimo de viver frustradas e sem motivação, por não impor limites para a intervenção alheia em sua própria vida.

> Há muita gente que não sabe o que quer, nem do que precisa realmente para se sentir vitoriosa. Pior ainda é quando também nem sabe o que não quer. Fica em cima do muro, titubeia, se contradiz, parece barata tonta desejando ora casar, ora comprar uma bicicleta, ora trabalhar feito doida para ser promovida, ora ter um filho. Ou então ora pedir demissão para investir em uma *startup*, ora sentar sobre a estabilidade do emprego com carteira assinada, ora brigar com os pais, ora colaborar com eles; ora se olhar no espelho e encarar suas fragilidades, ora fechar os olhos e tampar os ouvidos ao óbvio.

Por não se conhecerem, vivem dando voltas, caminhando em círculos, trocando de faculdade, de amores, de trabalhos, de amigos.

Há um poema de Sri Chinmoy, que eu adoro, em que ele diz: "Eu sou feliz, porque conquistei a mim mesmo e não o mundo".

Melhorar o autoconhecimento é o primeiro passo para ser apaixonado por você. E o segundo passo dessa caminhada é começar a se paquerar. Isso significa saber muito bem do que você mais gosta e partir para a conquista de si mesmo, sabendo o que faz você feliz.

Já pensou que cada um tem o seu design existencial?

Há pessoas que são mais emocionais e outras, mais racionais. Há os que curtem tudo o que é sofisticado e exclusivo, e há outros que valorizam a simplicidade.

Quem não conhece alguns mais acelerados, que parecem treinar para concorrer nas Olimpíadas, enquanto outros fogem das competições acirradas? Existem os ingênuos, as eternas crianças, opostos aos "ligadões", que não perdem nada do que acontece.

Não é problema você ser mais reservado com relação às próprias emoções se faz um tipo mais lógico, racional, analítico. A questão delicada é ser aquela pessoa sensível que procura negar seus afetos, pois vive insatisfeita o tempo todo. Ou ser acelerada e se ver podada por um companheiro acomodado, ou ser competitiva e se encontrar sob as asas de um chefe autoritário que não oferece desafios.

Vejo pessoas simples sonharem com uma vida sofisticada e tentarem se moldar a esse jeito de viver, muitas vezes influenciadas pelo meio em que transitam. Realmente, nossa sociedade valoriza demais o consumo e mede o valor dos outros pelo carro, pelas roupas e lugares que frequenta... e faz pressão com o intuito de elevar mais e mais o consumo. Portanto, se não abrirmos os olhos, ficaremos perseguindo um modelo de sucesso que não serve aos nossos anseios, não nos torna especiais, e nos juntam ao bando de copiadores do que os outros têm.

Quando o cantor santista Chorão morreu, causando comoção nacional, Champignon, o baterista de sua banda, desabafou a uma jornalista: **"o sucesso na carreira é um embrulho bonito de presente, mas, se dentro não tiver nada, que alegria isso traz?"**.

Em uma entrevista, o falecido jogador Sócrates confessou: "Gosto de estar com pessoas simples, bebendo e jogando conversa fora em um boteco. Eu poderia viver nos jantares sofisticados, mas acho esses jantares muito chatos e vazios".

Eu também sou desse jeito. Para mim, jantares formais, com muitos convidados, não me atraem. Prefiro estar com dois ou três amigos, conversando sobre a vida, batendo um papo descontraído.

Tem gente que nasceu para apreciar um estilo de vida glamoroso e se realiza em eventos assim, mas é preciso arcar com os gastos dessa rotina cara, para curtir tudo o que têm vontade.

Tenho amigos que vão passar um fim de semana em Nova York para assistir ao show da diva do momento no Madison Square

Garden e voltam animadíssimos para tocar o batente da semana. Para eles, ficar em casa no sábado à noite, vendo um filme na TV não tem graça nenhuma. Outros amam corrida. Então, correm, correm, correm. Se pudessem, dariam a volta no globo.

A verdade é que cada um tem seu jeito próprio de ser feliz.

Então, para que se obrigar a fazer coisas que não têm real significado para você?

Os peixes são felizes vivendo na água. Alguns deles até voam por alguns segundos, mas que sentido teria forçá-los a voar o tempo todo? Eles morreriam. Não é da natureza e da vontade deles, mesmo se sobrevivessem. Da mesma maneira, um pássaro precisa voar. Ficar dentro da água significa a morte para ele.

> **Conquistar seu espaço, seu estilo, seu querer. Conquistar a si mesmo.**

Você tem um estilo de vida que respeita a sua essência e que favorece você se gostar cada vez mais, conquistar a si mesmo?

Você tem de saber como e onde sua alma fica feliz e buscar esse lugar para viver. Descobrir com qual turma se sente muito bem e procurar conviver mais com ela.

Tem de saber com o que seu coração se satisfaz e procurar realizar esse desejo. Exatamente como alguém apaixonado por você faria.

E isso não é uma questão de ter ou não ter dinheiro. Existem prazeres que se adequam a qualquer estilo de vida e que podem fazê-lo conquistar a si mesmo.

Mergulhe fundo dentro de você

Quando sua alma estiver dolorida, mergulhe fundo dentro de você mesmo e descubra o que a está ferindo.

Não adianta querer aplacar a voz da sua essência nem ignorar o grito de dor de sua alma, pois lá na frente, em um futuro qualquer, o preço que você terá de pagar por não a ouvir ou tentar calá-la será muito alto.

O mundo vive uma epidemia de depressão e por isso os laboratórios ganham fortunas vendendo remédios que procuram anestesiar as verdadeiras vontades das pessoas.

Você está exausto por manter um casamento sem amor? Toma um antidepressivo e acha que resolveu o problema?

O que muitos chamam de depressão significa apenas cansaço existencial. Trocando em miúdos, é a sua alma revoltada com as coisas que você se obriga a fazer sem escutar seu coração.

Coisas como trabalhar naquele lugar em que você não se sente valorizado, estar naquele relacionamento ruim porque não tem coragem de dizer "chega!", deixar de falar que ama aquela pessoa especial (até que ela se apaixone por outro alguém, e adeus).

Nesses momentos de depressão, muitas pessoas ficam agressivas, mas não adianta brigar quando você está triste, de farol baixo, com a alma ferida, isso só vai complicar tudo.

Existe uma reação humana muito comum que é a de procurar machucar alguém quando se sente ferido. Quem de nós não ouviu o grito de um familiar que acabou de dar uma martelada no dedo? No auge da dor, a pessoa imagina que vai aliviá-la se descontar o sofrimento em quem está perto.

Poucos conversam consigo mesmo em um momento de angústia e dor, insistindo em calar seu sofrimento com soluções que somente aumentam a própria infelicidade.

Falta em muitos a coragem de entrar em contato com sua tristeza e seus medos. Por isso, evitam esse enfrentamento a todo custo com ações ineficazes e que, muitas vezes, distribuem arranhões nos outros.

Em vez de mergulhar na orientação de sua alma, tentam calar a voz da sua consciência ao se entregar a compulsão por compras, por comida ou dietas malucas; taras sexuais, álcool, internet sem limites, e tantos outros vícios.

No fundo, muitos drogados pensam: eu tenho o direito de usar drogas porque estou depressivo. A maconha pode até acalmar na hora, mas, no dia seguinte, os pensamentos depressivos vêm com muito mais força, pode acreditar.

Aquele que gasta fortunas em jogos de azar pensa: eu tenho o direito de jogar porque a minha vida está um tédio. O rapaz que só falta entrar no computador, e fica com dor no dedão de tanto teclar no smartphone, passa a acreditar que a vida virtual é mais excitante que a real. Perde tempo de fazer amigos de verdade, iludido com tantos "curtir" que recebe por seus *posts*, e vai ficando ainda mais solitário.

Quando é que eles vão parar de se dar "presentes" para tentar fugir das suas verdades? Muito melhor é escapar da cilada de se dar presentes tóxicos só porque você se sente infeliz. Tenha a coragem de mergulhar na sua verdade e faça o possível para viver de acordo com ela!

Em vez de tentar calar a voz da sua consciência, pare e sinta o que seu coração está pedindo.

Lógico, esse processo dá trabalho e demora algum tempo, mas o esforço vale a pena, porque vai levá-lo aonde você deveria realmente estar na sua vida.

Mergulhe fundo dentro de você mesmo e descubra o que falta, o que melhora, o que agrega, o que faz a diferença.

Aceite suas imperfeições e ambivalências

> Uma das atitudes que mais desgastam o ser humano é a mania que existe de querer sempre estar certo.

Muitas pessoas vivem esgotadas tentando mostrar o tempo todo quanto são sensacionais, mas manter a máscara de bem-sucedido sem que seja absoluta verdade consome bastante energia.

Na rede social em que mais se vê gente "feliz", o Facebook, parece que ninguém ali passa perrengues na vida. Tanto que há estudos que mostram participantes deprimidos, que se sentem mal, por ver somente felicidade nos *posts* dos outros. Quanto mais navegam, mais invejam a rotina alheia e acham a vida injusta com eles.

Que ninguém se iluda: a realidade é que, embora sintam a tentação de mostrar somente as vitórias, todos têm fracassos. Querer esconder as nossas limitações causa ainda mais dor e angústia.

A maioria das vitórias é consequência do aprendizado de uma série de fracassos. A top model Gisele Bündchen foi recusada em testes de modelo no início da carreira. O festejado cantor de pagode Thiaguinho não venceu um concurso da sua área. Há jogadores de futebol bem-sucedidos lá fora que não tiveram a grande chance aqui.

> Todo passo na direção da perfeição é dado em cima da imperfeição. Querer negar as suas, além de torná-lo ridículo, vai dar muito trabalho e fazer de você um adulto medíocre.

Agora, aceitar suas imperfeições não significa permitir que elas o paralisem. Use sua alegria de viver para mudar o que você tem condições de mudar, e aceitar o que precisa aceitar.

Quando errar, simplesmente peça desculpas. Você vai ver que o reconhecimento do erro aliviará a maior parte da tensão e facilitará a resolução do problema.

Quando alguém se acha o último e mais cobiçado biscoito do pacote ou a cereja do bolo, acaba agindo como se todos os erros do mundo fossem dos outros. Então, a vida se torna muito limitadora, porque ele para de crescer, de se desenvolver, de melhorar.

Resista a querer bancar o máximo o tempo todo. Assuma que é humano e baixe um pouco a guarda. Seja autêntico. Compreenda os motivos das suas derrotas e assuma seus erros. Entenda que somente quem está aberto para perder pode vencer o jogo da vida. Querer dar a última palavra em todas as conversas, debates, disputas, negócios e conflitos é comprar um passaporte para a solidão.

As pessoas que querem ganhar sempre acabam sendo deixadas de escanteio, isoladas, rejeitadas.

Todo mundo quer conviver com quem age como se dançasse uma valsa. Quando um dá um passo à frente, o outro dá um passo para trás, ou os dois não conseguem dançar. Por isso, permita que as outras pessoas também ganhem. Não seja turrão a ponto de achar que sempre tem razão. Até porque vivemos na era do compartilhamento de informações. Partilhar, trocar conhecimentos, percepções, experiências é muito melhor para ambas as partes.

É preciso saber reconhecer quando a outra pessoa está certa ou sabe mais do que você. É preciso saber reconhecer um equívoco ou mesmo uma dificuldade que você tenha.

Ninguém jamais saberá tudo, nem acertará sempre. Buscar a excelência naquilo que você faz é melhor do que tentar ser perfeito.

Se você for analisar a carreira dos vencedores, elas erraram muito mais do que acertaram. A diferença é que transformaram seus aprendizados em sabedoria.

Permita-se pedir ajuda ao seu filho, acatar quando sua sócia tem uma ideia genial, ou mesmo reconhecer a hora de deixar de ser um jogador de futebol e passar apenas a assistir aos jogos, além de aplaudir os novos jogadores.

Uma das frases mais tolas que vejo as pessoas usarem é: "Eu me arrependo somente das coisas que não fiz. Não me arrependo de nada do que fiz". É preciso aprender que ninguém vive uma vida sem cometer erros. E geralmente grandes erros. E isso tem de causar arrependimento, sim! Senão, não aprendemos a ser melhores e não temos a chance de pedir perdão a quem magoamos.

Sim, eu me arrependo de algumas coisas que não fiz. Contudo, tive muito mais remorsos de outras que fiz e não deveria. Errei e errei feio!

Infelizmente, eu coloquei lágrimas no rosto de pessoas que amei e que amo. Não fiz de propósito, mesmo assim eu os magoei. Por reconhecer o dano que causei, posso pedir perdão.

Durante muitos anos, procurei justificar minhas ações e arrumar explicações bonitas para o fato de tê-las cometido, mas neste ano fiz uma lista das pessoas que magoei com atos equivocados e procurei todas elas para conversar e me desculpar.

Não vou dizer que foi fácil nem leve. O medo de ser criticado foi enorme. Felizmente, essas pessoas foram generosas em me perdoar. Hoje esse fardo pesa muito menos nas minhas costas.

Se você errou, peça perdão àqueles que magoou. Não carregue culpa por tantos anos. Procure-os, aceite as críticas que receber e se permita conversar até limpar a área.

Tome essa atitude com urgência, mesmo que os outros também tenham errado com você. Abra caminho para um novo encontro. Vai ser bom para eles e maravilhoso principalmente para você!

Errou novamente? Acontece. Peça perdão na hora. Não fique se justificando ou cultivando a culpa sozinho. Como errar faz parte de qualquer aprendizado, até para andar de bicicleta, via de regra o ser humano tem boa vontade para aceitar um pedido sincero de perdão.

Corrija a rota quando estiver no caminho errado

> Quando um problema se repete na sua vida, é sinal de que está avançando pelo caminho errado.

Observe os sinais que a vida dá! Precisamos perceber os avisos que ela mostra se quisermos corrigir a rota o quanto antes.

Se você sai de São Paulo rumo a Porto Alegre, tem de se preocupar caso leia em alguma placa que está se aproximando de Salvador! Contudo, há pessoas que não valorizam as sinalizações na estrada, e continuam seguindo em uma direção que vai levá-las a outro lugar, diferente do que pretendem.

Nos momentos em que você percebe que está no caminho errado, tem de parar e perguntar à sua consciência qual é a melhor coisa a fazer.

Se as placas continuarem a mostrar que está no caminho errado durante muito tempo, então tem de ouvir as pessoas mais experientes, com mais vivência e senso de direção apurado.

Se, ainda assim, perceber que se distancia cada vez mais de seu ponto de chegada, então tem de procurar ajuda profissional com um psicoterapeuta (para questões pessoais) ou um *coach* (para dilemas profissionais).

Digamos que deseje viver um grande amor: você precisará perceber que a solidão que sente, compensada pelo jeito *workaholic* de trabalhar, é um aviso de que está no caminho errado, que não vai levá-lo a uma verdadeira história de amor.

Se você está depressivo há vários anos, é hora de alterar o caminho que está trilhando.

Precisa tomar remédio para ereção, sem ter nenhuma justificativa física? É um indício de que algo está muito torto na sua mente ou no seu coração.

Se acorda sempre querendo ficar mais um pouco na cama, sem vontade de trabalhar, é hora de descobrir uma nova forma de se realizar profissionalmente, na sua mesma atividade ou em um plano B.

A sua vida mostra o tempo todo se você está "quente ou frio", como naquela brincadeira de criança. **Sempre há sinais e avisos para que você saiba se está perto ou longe da felicidade.** Quando você se afasta de si mesmo, da sua essência, a luz vermelha acende.

A insônia fica mais forte, a vontade de beber álcool ou se prostrar na cama aumenta... e nada disso resolve. Porque você passa a querer uma droga mais forte, fraquejar na empresa até dar prejuízo, sentir-se pressionado, não chegar ao orgasmo, ter dor de cabeça com frequência, aumentar a dose do antidepressivo.

Nessa hora seria necessário buscar a causa desses desajustes, questionando: "Por que tenho essa dor de cabeça todos os dias?". Contudo, a maioria prefere simplesmente perguntar: "Onde está o meu analgésico? Estou de novo com dor de cabeça!".

Descobrir exatamente o que está fazendo mal e tratar a causa do sofrimento é o melhor remédio para a alma.

Em seu último discurso, Eric Berne, o pai da Análise Transacional, deu um exemplo muito interessante ao relatar a história de um homem que pisou em um espinho. Em resumo, a ferida infeccionou e fez com que ele começasse a mancar. Aos poucos, a dor passou para as costas, depois para a nuca e acabou por provocar uma forte dor de cabeça. A infecção desencadeou a aceleração do pulso, e o mal-estar se espalhou por todo seu corpo. Finalmente, um cirurgião, depois de examiná-lo, disse que o estado era grave e que possivelmente não havia cura.

Inconformado, o homem procurou outro médico, que percebeu o espinho em seu pé, retirou-o e o medicou em função daquele ferimento. A febre baixou, o ritmo das pulsações baixou, os músculos da nuca e das costas distenderam-se e, finalmente, os músculos do pé relaxaram. E o homem voltou ao estado normal depois de apenas quatro ou cinco horas.

Seja qual for o seu problema, elimine a causa e não fique só combatendo o sintoma.

Um dos piores sinais de que você não está em paz consigo mesmo é o descontrole emocional o tempo todo. Reação emocional impulsiva é sinal de insegurança:

- Aquela pessoa que grita com o colaborador mostra que não tem capacidade para liderar.
- O pai que sempre perde a paciência com os filhos mostra incapacidade para cuidar deles.
- O marido que ameaça infernizar a vida da esposa caso ela vá embora demonstra incapacidade de entender a dinâmica do amor.

Crise de descontrole emocional é sinal de desconexão com a consciência. Agir sempre por impulso só torna as coisas piores. Aprenda a refletir e decidir o que fazer antes de agir. Procure seu espinho no pé antes de sair aplicando qualquer tratamento inadequado e ir parar na mesa de cirurgia.

Quando falamos impulsivamente, acabamos dizendo coisas que machucam os outros. E se uma pessoa aceitar ser magoada com frequência, vai acabar aniquilando a autoestima até chegar o momento em que talvez decida ir embora da sua vista. Ninguém gosta de ser saco de pancada.

Quando não há diálogo e planos em comum, há o risco enorme de o casal abrir um vazio na relação amorosa, o que gera insegurança. Dá para consertar se os dois toparem se reaproximar, recomeçar, mas a coisa fica pior quando os dois se atacam verbal ou fisicamente, alimentando um monstro chamado mágoa, que geralmente engole tudo: amor, respeito, companheirismo, esperança. E o fim dessa história costuma ser a separação.

Se você se perceber como alguém que está sempre magoando os outros com suas explosões emocionais, tome consciência de que só ficará cercado de pessoas sem alma. Porque as com alma não aceitam viver sendo machucadas e infelizes.

Então, avance sempre, sem medo de dar meia-volta ao constatar que pegou o caminho errado. Só assim você vai poder tratar a causa do seu sofrimento e destravar qualquer coisa ou ser que esteja inviabilizando a sua felicidade.

Abra o seu coração

A maioria das pessoas hoje vive mais interessada em parecer do que ser. Consome por consumir até se endividar para posar como bacana. Perde tempo precioso prestando atenção à vida dos famosos e semifamosos da TV. Expõe sua intimidade nas redes sociais com uma facilidade impressionante, tira tantas fotos para postar na internet que não se diverte, fica escrava de computadores e celulares.

Outro dia, vi três garotas sentadas em torno de uma mesa de restaurante que riam muito. Cada uma segurava um celular. Qual não foi minha surpresa quando percebi que elas papeavam não com palavras, mas trocando mensagens de texto!

Eu pergunto: onde foi parar a delícia de uma boa conversa durante a refeição? A cumplicidade do olho no olho e dos sorrisos foi substituída pela frieza dos dedos nos teclados e do reflexo da luz do visor no olhar das pessoas.

Se você entende do que estou falando, então faça alguma coisa já: pegue o telefone, sim, mas para convidar uma pessoa especial para tomar um vinho, caminhar no parque de mãos dadas... Um jantarzinho cheio de namoro, com aquele homem ou mulher que atiça sua pele e balança seu coração! Afinal, é isso que faz da vida apaixonante.

Há filhos que gostariam de declarar seu amor aos pais, mas sentem dificuldade. Há irmãos que gostariam de se abraçar muito, mas sentem dificuldade. Há esposas e maridos que gostariam de pronunciar mais vezes as três palavras mágicas "eu te amo", mas sentem dificuldade.

Assisti a uma comédia romântica em que o galã falava "eu te amo" quase diariamente ao seu cachorro peludo e lindo, mas não conseguia abrir o coração com a mulher com quem estava saindo.

Muitas vezes, fugi do amor por temer ser rejeitado. Uma vez, vivi uma situação dessas bem delicada.

Era a fase em que eu fazia cursinho pré-vestibular. Conheci uma moça chamada Mônica e fiquei "caidinho" por ela. Como eu era muito tímido, não conseguia abrir meu coração para ela e, pior, achava que ela nunca me daria bola.

Depois de muitos anos, comentei o caso com o Jonas, um amigo da época, e ele me contou uma história que aconteceu com ele. Logo no início da conversa, ele me perguntou: "Roberto, você lembra que eu era doido pela Márcia?". Eu lembrava, é claro. Nenhum de nós poderia esquecer aquela história. A Márcia era nova no grupo, e muito bonita. E dois amigos se apaixonaram por ela: o próprio Jonas e outro chamado Xandinho.

Como o Xandinho era muito hábil para conquistar uma garota, depois de duas semanas ele virou o namorado dela. O Jonas, claro, ficou visivelmente chateado.

O drama maior começou menos de um mês depois.

Um dia, depois de ter deixado a Márcia em casa, o Xandinho chegou à casa dele vomitando muito. Levado ao hospital, foi diagnosticado com câncer no cérebro. Os médicos previram que ele morreria em no máximo um mês. Alguns dias depois, entrou em coma e nunca mais saiu. Contudo, ao contrário das previsões dos médicos, ainda viveu por quatro anos.

Todos os amigos viam a dedicação da Márcia ao Xandinho e o amor do Jonas por ela.

O tempo passou, eu saí da comunidade e não vi o fim da história. Quando Jonas me falou sobre aquela história da Márcia, todas as cenas daquele amor passaram novamente pela minha cabeça: ela indo visitar o namorado em coma, o Jonas que continuava apaixonado por ela, os pais e amigos comentando essa situação.

Jonas, então, continuou: "Aquela situação era péssima para mim, porque o meu amigo estava morrendo. E eu me via apaixonado pela namorada dele. Prometia a mim mesmo falar sobre isso com a Márcia, mas na hora H ficava sem graça e mudava de assunto. Até que um dia eu resolvi acabar com esse drama e me declarei".

Os dois saíram para conversar, falaram da situação e dos sentimentos de ambos. No fim da conversa, a Márcia deixou claro que não pretendia namorar ninguém até a morte do Xandinho e que o Jonas não deveria esperar por ela, pois ela não sentia que era apaixonada por ele, e o via apenas como um irmão.

Naquela noite, o Jonas chorou muito, mas deixou aquele amor para trás e tocou a vida. Depois de me contar tudo isso, concluiu: "Hoje penso que não se deve deixar que o medo o impeça de abrir seu coração. Sempre que tenho uma situação não resolvida, eu procuro falar logo com a pessoa. Assim, ou me satisfaço com o resultado ou pelo menos deixo de ficar pensando nisso por um tempo longo demais. Gastar durante anos minha energia com um amor não correspondido para quê?".

Então, ele me deu a chave para resolver minha própria situação. Como ele sabia que eu adorava x-salada, me recomendou: "Amanhã, você convida a Mônica para tomar um lanche. Quando for colocar o ketchup no seu sanduíche, simplesmente fale "Eu te amo". E depois veja o que vai acontecer. Saia da imaginação e parta para a ação".

Infelizmente, meu medo de ser rejeitado foi maior que meu amor pela Mônica. E a partir daquele dia, eu passei a não colocar mais ketchup em meus sanduíches! Depois de vários anos, recebi uma carta da Mônica. Ela estava casada e com dois filhos, mas não podia deixar de me dizer que fui o grande amor da vida dela.

Tive vontade de bater minha cabeça na parede! Eu me senti um estúpido total.

Por isso, digo a você:

Lembre-se: o que dói mais na vida não é ouvir um "não" ou ser contrariado. É não arriscar viver aquilo que grita alto dentro de você para ser realizado.

Fazer terapia foi muito importante para eu confiar mais em mim e falar dos meus projetos, não só na vida afetiva, mas também na profissional.

Se você acha essa história familiar e comum em sua vida, é hora de abandonar o temor de sofrer e arriscar mais. Muita gente não vive porque não quer arriscar sofrer. Só que isso é como querer aprender a andar de patins ou esquiar no gelo sem levar uns tombos.

O medo, quando se instala no coração, faz com que muitas pessoas se iludam com prêmios de consolação. O computador vira amigo inseparável e a televisão se torna a companheira noturna. Ou as compras.

É preciso perceber que acumular muita coisa material causa mais solidão e estresse do que não ter. Isso porque objetos não possuem o poder de alívio emocional que muitos consumistas de carteirinha imaginam. Não substituem o amor, não aquecem sua alma. Então, que tal substituir tantas compras por conversas com alguém que pode preencher seu coração, fazê-lo bater com vigor?

A vida vai ficando sem graça quando a pessoa que

arrisque viver suas emoções.

escutou um "não" imagina que ficar quietinha no seu canto evitará nova decepção.

O sofrimento de não viver aquilo que faz sentido à sua alma é sempre muito maior comparado ao de se decepcionar com uma investida amorosa.

Sofremos mais no plano da imaginação. A realidade nem sempre é tão dolorosa quanto as torturas que aplicamos a nós mesmos quando nos deixamos dominar pelo medo.

Aprenda a deixar a coragem tomar conta do seu coração e, quando chegar a hora, coloque o ketchup no seu sanduíche e diga logo "Eu te amo" a alguém capaz de dar um sabor todo especial à sua vida.

Não há garantias de que o que virá depois corresponderá plenamente às suas expectativas, mas você somente saberá se der uma chance.

Não deixe o medo das críticas afastar você do seu caminho

"Roberto, mas e quando as pessoas me criticarem?"

Seja você mesmo, apesar das críticas.

Vivemos em um tempo de pouca tolerância aos desejos dos outros: as pessoas estão rejeitando quem pensa diferente delas e vivendo pelo lema "quem pensa diferente de mim está errado".

Isso é tão forte que começamos a achar que estamos sempre errados e o que vale é o senso comum. Não caia nessa. Muitas vezes, quando nos arriscamos a ser nós mesmos, surpreendemos positivamente os outros. Afinal, todo mundo está ávido por originalidade, por gente de verdade.

O problema é que poucos estão tendo a coragem de ser originais.

Quando deixa de fazer o que seu coração manda, somente para evitar críticas, você perde sua autenticidade, sua marca registrada, algumas características tão particulares que a diferenciam da multidão. Assim, corre o risco de não se reconhecer mais na frente do espelho.

Se você quer ser uma cantora, se a sua vocação é soltar a voz nos palcos, seja uma cantora. Não tenha medo das críticas e das contrariedades, começando pelas da família, que, desejando seu bem, muitas vezes tentam é afastá-la do seu caminho.

Se você é homossexual, não deve esconder sua essência da família e da sociedade, por medo das críticas e da intolerância. Essa é uma condição só sua, e os outros têm de aceitá-lo como você é. As consequências de você assumir a sua essência, a curto prazo, podem ser bem difíceis de lidar, porque ainda existe muita resistência e preconceito debaixo da capa da modernidade. Contudo, se você seguir por muito tempo escondendo a sua verdade, mais dificilmente será feliz.

Se você tem vontade de ser um bilionário, vá atrás da sua meta. Conhecemos pessoas que nasceram para criar riquezas e são felizes dessa maneira. Nesse caminho, você vai receber críticas pesadas, porque nossa cultura recrimina quem ambiciona ganhar muito dinheiro, e a inveja é infinita. Realize a sua vocação, apesar dos protestos da turma do contra.

Acredito que você pensa que é preciso coragem para impor as próprias vontades em vez de seguir a boiada, não é mesmo? Sim, é preciso um banho de coragem para se impor em nossa sociedade. Entretanto, sujeitar-se a viver infeliz para satisfazer a vontade e as determinações dos outros não exige muito mais de você?

Dê o seu grito de independência e detone tudo o que não tem a ver com a sua paixão de viver. **Lembre-se de que a sua felicidade é muito mais importante do que a sua imagem**. Viver com paixão é muito melhor do que viver para atender aos anseios dos outros e "ficar bem na foto".

Chute o balde! Fuja do perigo de querer ser politicamente correto, sendo absolutamente incorreto com aquilo em que acredita.

Sem contar que sempre haverá gente ao redor pronta para criticar sua escolha, seja ela qual for. Esses vigilantes agem assim para escapar do mais difícil, que é se concentrar no rumo que estão dando à vida deles.

Procurar ser uma pessoa certinha, dentro dos conformes, como manda o figurino, é algo muito perigoso se estiver forçando a sua barra.

Quando você assume suas decisões, independentemente do que os outros acham, pode perceber que tira um peso imenso das costas. Então sobra energia para viver com alegria no coração, e enxergar mais claramente o seu caminho.

Procure ajuda profissional

Se você vê que sua vida não está fluindo como gostaria, procure ajuda profissional.

Posso dizer com muita tranquilidade: fazer terapia quando os problemas pareciam maiores do que eu foi um dos motivos de a minha vida ter melhorado com o passar do tempo.

Na primeira vez em que procurei ajuda profissional, eu estava com 17 anos. O futuro parecia tão complicado que foi importante ter alguém para me ajudar a pensar. Até hoje, quando as coisas ficam enroscadas, busco auxílio de um profissional que se preparou para isso.

Grande parte da felicidade que já experimentei tem relação com o fato de eu ter muita vontade de viver de acordo com minhas paixões. É claro que isso nem sempre é fácil de fazer. Os conflitos são muitos; as dúvidas, enormes; os preconceitos e as proibições, inúmeros.

É triste ver que a maioria das pessoas deixa de lado sua alegria de viver para fazer somente o que os outros aprovam. Nessas horas, em especial, a ajuda de um terapeuta costuma ser muito útil para evitar agir no piloto automático, para criar coragem de se rebelar, no melhor dos sentidos, para se libertar de traumas da infância ou de uma educação rígida que acabou abafando sua libido, sua espontaneidade ou algum talento especial.

O profissional não dirá o que fazer, mas incentivará produtivas conversas entre você e sua alma, seu interior, sua essência.

É uma pena que nos dias de hoje ainda exista no mundo preconceito contra terapia. As pessoas têm a clareza de procurar um decorador para ajudar a montar a casa, ou um nutricionista para ajudar a se alimentar melhor, mas não assumem a importância de procurar um profissional para ajudá-las a se conhecer melhor.

Chegou a hora de romper com o preconceito de que terapia é para quem está quase louco e reconhecer os benefícios de ter alguém capacitado a orientá-lo para achar seus caminhos e as portas de solução dos seus problemas.

Assim como os grandes heróis das histórias que amamos têm um mestre, um conselheiro, todos nós deveríamos ter obrigatoriamente alguém para nos ajudar a enxergar o caminho que realmente queremos seguir e clarear formas de enfrentar as dificuldades. Isso seria um diferencial significativo para a humanidade.

> Portanto, seja humilde para pedir ajuda quando seus problemas parecerem maiores do que você pode encarar. O orgulho e a arrogância acabam enterrando seu futuro.

Se você tenta mudar o estado de coisas na sua vida conversando com amigos e não vem obtendo resultados, procure orientação profissional. Pode ser um sacerdote, um pastor, um terapeuta, um médico, um conselheiro...

Só não aceite a insatisfação e os desencontros com seus companheiros diários. Você tem o direito de viver feliz com seu parceiro, filhos, pais, amigos, funcionários e colegas de trabalho, e principalmente consigo mesmo.

Se sofre de muita angústia e depressão, procure um psiquiatra e aceite tomar os medicamentos que ele indicar, durante o tempo necessário, mas depois vá para a terapia conhecer melhor a si mesmo.

Quando os obstáculos envolvem principalmente sua vida profissional, um *coach* se torna um excelente auxílio para você superar um a um esses obstáculos e caminhar com mais rapidez para os seus objetivos.

O principal é permitir-se ter alguém cuidando de você, refletindo junto, questionando crenças, trazendo novos ângulos para uma mesma questão e ajudando-o a encontrar do jeito mais carinhoso possível o caminho para a felicidade.

6

compreenda a essência da vida

O que é a vida senão uma sucessão de acontecimentos e mistérios que vão sendo revelados em um ritmo próprio para cada um de nós? Muitas pessoas querem organizar tanto a sua vida, na esperança de evitar surpresas, que a todo o momento ficam chateadas porque aparecem vários desafios e dificuldades para surpreendê-las. Ah, e eles aparecem aos montes!

Há quem vire escravo dos aplicativos de computador que prometem controlar o tempo, nosso luxo moderno. Pessoas assim são reféns da agenda lotada com muitas obrigações corriqueiras, uma lista de urgências (geralmente dos outros, não suas) e poucas coisas realmente importantes, como idas periódicas ao médico para cuidar da saúde. Além disso, há a lista de atividades para as quais não conseguiram dizer um sonoro não. E ainda são influenciadas por ondas de modismos que decretam "Você não pode vestir isso, precisa passar férias em tal cidade, já deveria conhecer a tecnologia X, Y, Z" etc.

Facilitaria bastante se a vida fosse como uma estrada supermoderna, toda sinalizada e protegida, de preferência em linha reta. Ledo engano. Há curvas, buracos, desvios, placas com orientações dúbias, bifurcações que exigem escolher ir pela direita ou pela esquerda, retornos somente a quilômetros de distância... E, se você parar, é possível que alguém ainda bata atrás, entre outros perigos.

Muitas pessoas alimentam a ilusão de que vão ter total domínio de seus passos, sem perceber que é impossível se proteger do imprevisível. Quem tenta controlar demais seu dia a dia mata a graça de viver e acaba frustrado.

Precisamos estar sempre dispostos a agir conforme nossa essência e reagir da forma mais adequada diante das surpresas que surgem a cada momento.

É por isso que tenho o hábito de responder "Sempre!" quando alguém me pergunta se estou pronto.

Tenho certeza de que não posso prever tudo o que acontecerá na minha vida, mas posso estar atento aos convites que ela me faz e aos desafios que frequentemente me lança. Sem pestanejar!

Você está pronto?

Aproveite as infinitas possibilidades que a vida oferece para enriquecer suas experiências. Tenha uma mala sempre arrumada, assim você nem precisa pensar no trabalho que vai dar prepará-la quando surgir o convite para uma nova viagem.

> Estradas perfeitas são monótonas, dão sono, assim como uma vida extremamente regrada. Por isso, deixe um tempo livre na sua agenda para as surpresas acontecerem, sem nada marcado.

Dentro do possível, precisa estar disponível para receber os presentes da vida.

Você diz que quer viver um grande amor, mas cava um tempo na sua agenda para ele aparecer? Vai ao aniversário da sua amiga, faz um curso com pessoas interessadas no seu tema preferido, pratica algum hobby coletivo, viaja? Se não sai da toca (que mais do que nunca é o escritório atualmente), quando vai conhecer o homem ou a mulher dos seus sonhos?

Você diz que quer conhecer o mundo, mas está pesquisando roteiros, juntando milhas, navegando por sites de agências especializadas?

A vida é uma sucessão de convites, e cabe a cada um escolher quais aceitar ou não. Se você se ocupar o tempo todo apenas com as obrigações, saiba que os convites vão minguar. Basta pensar que, se recusar sempre os convites dos amigos, vai fazer com que eles desistam de contatá-lo.

É lógico que precisamos ser cuidadosos e dizer "sim" com critério, mas temos também de aceitar alguns riscos.

Um profissional jovem e promissor, quando topa ser promovido a diretor na sua empresa, sabe que não possui tanta experiência para o cargo, mas tem mais é que abraçar essa grande chance de evoluir. E aprender o que ainda não domina na prática.

Quem quer amar não precisa sair buscando aquela pessoa em especial como quem caça uma presa, mas, sem dúvida, aumenta suas chances quando se arrisca a paquerar, beijar, namorar, se relacionar.

Tenha serenidade para enfrentar os desafios da vida

Vida que vale a pena tem períodos de subidas e descidas, e traz aquele friozinho na barriga, que dá o tempero certo às suas emoções.

O melhor a fazer é aprender a desfrutar de todos os momentos nessa montanha-russa estimulante, desafiadora. Em um momento, aparece um grande amor e, no outro, há a perda de uma grande amiga.

Um dia você comemora sua promoção e, no outro, chora a tristeza da sua filha que terminou o noivado.

É doido, ilógico assim e é como tem de ser. Isso é viver!

Uma paixão que vale a pena envolve o risco de acabar, de arranhar, de incendiar, mas também de virar amor, de divertir, de motivar, de oxigenar seus dias. Essas nuances, com toques de imprevisibilidade, é que dão o gosto de vitória quando você alcança seu objetivo.

Por isso, mantenha a serenidade e curta quando o carrinho estiver subindo a montanha, assim como aproveite para vibrar muito quando estiver na descida.

Se achar que a viagem ao topo está demorando muito, arrisque uma olhada para trás e veja quanto você já conquistou.

Muitas vezes, a pessoa, para não ter de lidar com a dor, acaba não aproveitando nem o prazer, por ficar anestesiada. Por medo de morrer, acaba não vivendo!

Integre sucesso e felicidade na sua vida

O pássaro da realização pessoal tem duas asas: uma é a felicidade e a outra é o sucesso. Quando uma das duas asas está com problema, o pássaro não voa. O que faz as asas funcionarem em harmonia é a sua paixão por viver. Se você se propõe a ser feliz, mas não consegue ter sucesso, a sensação de derrota vai acabar travando a sua felicidade. Da mesma maneira, se tiver sucesso, mas não conseguir desfrutá-lo vai acabar sentindo um vazio.

Ao contrário do que muita gente pensa, o sucesso não mata a felicidade. Aliás, gente feliz costuma ter um tipo de sucesso muito mais consistente.

Quando penso em pessoas felizes, lembro-me especialmente de três delas que tive o privilégio de conhecer. Foram meus lindos modelos de felicidade, grandes presentes que a vida me deu, exemplos a serem seguidos. Apresento a você as terapeutas norte-americanas Muriel James e Mary Goulding e também o meu professor de violão, "seu" Antonio, que me deu aula dos 15 aos 18 anos, quando entrei na faculdade de Medicina.

Muriel James

Foi uma das terapeutas de maior sucesso e autora de livros que influenciaram milhões de pessoas no mundo todo, no começo dos anos 1970.

Entre seus 17 livros estão grandes sucessos, como o best-seller "Nascido para vencer", que vendeu mais de 4 milhões de exemplares no mundo todo.

Entretanto, sua vida foi muito difícil. Foi abandonada pelo marido com os filhos ainda pequenos. Não teve ajuda de ninguém para criar as crianças e dar estudo a elas. Trabalhou como operária em fábricas, ganhando muito pouco. Passou muitas dificuldades juntamente com sua família.

Nem por isso desistiu, ou deixou de ser

a mulher incrível e profissional maravilhosa que se tornou. Seus problemas foram motivos para ela crescer e vencer, nunca desculpas para se lamentar.

Quando a conheci, já era mundialmente famosa, mesmo assim mantinha uma simplicidade comovente.

Ela estava casada com o Ernie, um sujeito aposentado que tinha muita personalidade. Os dois formavam um casal verdadeiramente apaixonado. Muriel só viajava se fosse em companhia dele. Quando viajava a trabalho, sempre exigia uma programação com atividades para que ele também pudesse aproveitar.

Na primeira vez que ela veio ao Brasil, Ernie quis jogar golfe e assistir a uma partida de futebol. Acompanhei-o nessas atividades e depois disso nos tornamos muito amigos.

Quando eles me recebiam em sua casa, em Lafayette, Muriel me perguntava o que eu queria comer no jantar e cozinhava ela mesma para todos nós. Nesses encontros, falava sobre sua vida, seus projetos e desafios como uma simples mortal. Não havia nenhum traço que pudesse dizer que ela era aquela profissional famosíssima.

> Estivemos juntos muitas vezes e o que mais me impressionava era que sempre tinha um sorriso no rosto, mesmo nas piores situações. O que a movia de verdade era a felicidade de viver e fazer o que amava.

Mary Goulding

Mary também foi uma terapeuta poderosíssima. Sua capacidade de ajudar as pessoas era impressionante.

Durante muitos anos revolucionou a psicoterapia e ensinou milhares de profissionais a ajudar mais efetivamente seus pacientes.

Eu a conheci em um curso que ela e seu marido, Bob Goulding, davam em sua casa, na Califórnia.

Mary era muito espontânea e firme. Se alguém procurava enrolar na terapia, evitando o contato com os próprios problemas, ela falava diretamente. Dizia que somente a própria pessoa tinha a capacidade de conquistar o que queria, mas que dependia da sua determinação.

Ao longo dos anos que trabalhamos juntos, aprendi a admirar a capacidade profissional dessa mulher, mas também seu casamento e principalmente o amor que ela tinha pela vida.

Seu último livro se chama *Doces lembranças de amor* e uma boa parte dele conta como era a cooperação que ela e Bob tinham profissionalmente e a dor que sentiu quando ele morreu.

Nesse livro, Mary fala da importância de aprender a voltar a ter uma vida rica e plena, em especial depois de ter sofrido uma grande perda. Mesmo em meio à sua dor, Mary conseguia energia para ajudar as pessoas.

> Seu sofrimento com a doença e a morte de Bob não a impediu de manter a carreira ativa. E melhor ainda: ela sempre tinha um olhar de amor para dar a cada pessoa com que cruzava em sua vida.

O professor Antonio

Já o "seu" Antonio foi para mim, durante a adolescência, um grande exemplo de ser humano. Para ele, sucesso e felicidade eram coisas inseparáveis. Enquanto construía uma, moldava a outra. Dava gosto de ver!

Ele me recebia todas as quartas-feiras à tarde em sua casa. Além das aulas de violão, conversávamos sobre a vida, a carreira e o amor.

Ele havia sido gerente de banco, em um cargo importantíssimo, mas isso não abalou sua simplicidade. E nem todo aquele sucesso profissional atrapalhou sua felicidade.

Depois de aposentado, resolveu se dedicar a ensinar violão aos jovens.

Era muito gostoso vê-lo com a esposa e os filhos. Às vezes, me convidava para lanchar com eles, e era muito bom estar com aquela família.

Embora fosse um maravilhoso professor de violão, o que ele mais ensinava para a gente era um modelo de vida com sabedoria e equilíbrio.

Sabe o que mais chamou minha atenção nessas três pessoas? Elas tinham muito sucesso profissional, mas também uma vida pessoal muito afetuosa e feliz.

Na profissão, amavam muito as pessoas ao seu redor e cultivavam a amizade e o companheirismo com todas. Entre tantas virtudes, eram também pessoas muito simples, espontâneas e verdadeiras.

Enquanto procuro repensar os segredos de serem felizes, percebo que tinham um ciclo virtuoso da felicidade: eram felizes e criavam um ambiente feliz ao seu redor, que atraía gente feliz, que trazia mais felicidade...

Elas conseguiam integrar respeito, valores, sentido de missão, amor ao próximo e também sucesso.

> Lembre-se: a felicidade e o sucesso são complementares, mas exigem de nós muita sensibilidade para que convivam. E sensibilidade era o que essas três pessoas tinham de sobra.

Construa a sua vida

Deus não dá acabamento em sua obra!

Converso muito com meu filho Ricardo sobre a vida, porque, além de sermos muito amigos, trabalhamos juntos. E cada vez que temos de enfrentar uma dificuldade, costumo falar: "Deus não dá acabamento!".

Muitas vezes, nossa vida se parece com uma casa edificada por um mau construtor: há sempre um problema novo aparecendo. Acerta o vazamento do banheiro, daí queima a luz da cozinha. Logo depois aparece umidade na parede da sala, e assim por diante.

Você já percebeu que quando você acerta seu namoro aparece um problema no trabalho? Daí, você acerta o emprego e aparece um problema de doença na família... É um desafio atrás do outro!

Essa é a essência da vida, porque ela não fica parada esperando o tempo passar. Ou seja, não é estática. A vida é dinâmica para nos fazer crescer. Ainda que por vezes desejemos que ela faça pausas, para termos um pouco de sossego, nós mesmos nos encarregamos de criar uma encrenca nova a cada momento.

Contudo, é importante saber que existem encrencas do bem e encrencas do mal, uma a serviço da felicidade, outra a serviço do controle do estresse.

> Qual é o tipo de encrencas que você anda criando? As suas ajudam a crescer ou só consomem seu tempo e sua energia?

Lembre-se sempre de que a vida nunca vai estar na versão final. Sempre exigirá ajustes. É aí que está a beleza de viver intensamente, a cada momento. Então, não deixe para ser feliz só quando tudo estiver cem por cento, porque esse momento nunca vai chegar.

Na verdade, eu acredito que Deus dá somente o acabamento que Ele julga necessário... E a finalização dessa obra Ele deixa para nós fazermos.

Esse é o grande lance da vida. É daí que vem o grande aprendizado, o motivo de estarmos aqui, sendo capacitados para dar o acabamento nessa obra magnífica, ainda que apenas no que diz respeito à nossa vida.

Lembre-se de que a vida só tem sentido quando você a constrói com seu próprio esforço. O prazer está em você mesmo fazer essa conquista.

Quanto menos conquista por esforço próprio, mais cobra dos outros por não darem o que você quer.

Dê um tempo para as coisas acontecerem

As pessoas estão sem paciência para dar o tempo necessário para os acontecimentos se realizarem.

Conheço empresários temendo investir nos negócios, porque não conseguem aceitar que o retorno virá somente depois de alguns anos.

Vejo casais de namorados em que um termina o relacionamento quando o outro comete um deslize (levantou a voz numa discussão, por exemplo). Muitas vezes é por um defeito que a pessoa gostaria de mudar nela própria (seu jeitão autoritário), mas que não consegue consertar de uma hora para outra.

Certas mudanças demoram algum tempo para acontecer. Não é algo imediato, por mais boa vontade de mudar que se tenha.

A mesma coisa acontece com um trabalho novo: a pessoa viu algo errado e já sai em busca de um novo emprego. Em todas as empresas existem muitos problemas e, além do mais, é a própria pessoa que vai formar o ambiente de trabalho que deseja ter.

Há conquistas que precisam de tempo para acontecer, mas o melhor presente para a pessoa é a sensação de estar se aprimorando como ser humano.

Em tudo na vida é preciso constância, paciência e crença no que você faz. Senão vai ser muito infeliz e viver cheio de ansiedade.

A única maneira de ajudar um botão de rosas a virar uma flor é deixar ao sol, dar água e alimento e esperar o tempo certo para desabrochar. Se tentarmos fazê-la se abrir à força, vamos destruí-la.

Na Bíblia, em Eclesiastes 3, isso está bem claro:

> [1] Tudo neste mundo tem o seu tempo; cada coisa tem a sua ocasião.
>
> [2] Há tempo de nascer e tempo de morrer; tempo de plantar e tempo de arrancar;
>
> [3] Tempo de matar e tempo de curar; tempo de derrubar e tempo de construir.
>
> [4] Há tempo de ficar triste e tempo de se alegrar; tempo de chorar e tempo de dançar;
>
> [5] Tempo de espalhar pedras e tempo de ajuntá-las; tempo de abraçar e tempo de afastar.
>
> [6] Há tempo de procurar e tempo de perder; tempo de economizar e tempo de desperdiçar;
>
> [7] Tempo de rasgar e tempo de remendar; tempo de ficar calado e tempo de falar.
>
> [8] Há tempo de amar e tempo de odiar; tempo de guerra e tempo de paz.

Não se torne escravo dos momentos especiais

É importante que as pessoas busquem a liberdade de realizar seus diversos objetivos, mas temos de considerar que existem situações em que elas vão precisar priorizar determinado assunto.

Quando a mãe dá à luz um filho, por exemplo, nos três meses seguintes ela vai dedicar muita atenção ao recém-nascido. A dedicação será tanta que vai deixar um pouco de lado os objetivos do casamento, os profissionais e os sociais. E isso é normal, compreensível e até desejável!

O problema existirá se ela mantiver essa prioridade com o filho o tempo todo. Ou seja, se não der mais atenção ao marido, abandonar o trabalho, se isolar dos amigos.

Essa prioridade exagerada toma tanto tempo da vida da pessoa que ela não tem tempo e energia para nenhuma outra coisa a não ser o filho. Então, deixa de cuidar de si mesma, e sua autoestima desaba. Vem a depressão, a angústia e a infelicidade!

Outro caso comum é quando o sujeito tem o objetivo fixo de triplicar a sua fortuna no menor tempo possível. Ele vai ter de dedicar tanto tempo e esforço aos negócios que será praticamente impossível dar atenção aos filhos e ao casamento.

É claro que tem momentos na nossa vida que vamos dar prioridade total a um objetivo, como um atleta nas vésperas de uma olimpíada que se concentra no treinamento. Entretanto, isso não pode se tornar um estilo de vida, não pode passar a ser a única coisa que dá prazer à sua vida.

Uma pessoa não pode focalizar para sempre um único objetivo, porque vai acabar destruindo outras áreas importantes da sua vida. Ela precisa seguir em frente e aprender que é preciso buscar novos momentos especiais, e não apenas ficar fixada no que já foi bom um dia.

Cuidar do nosso filho pequeno em período integral é uma delícia, mas chega um momento em que temos de deixar esse prazer para trás e avançar em outros terrenos, pelo bem da nossa felicidade e também pelo bem da felicidade do nosso filho. Afinal, ele também precisa de novas experiências para crescer, que não incluem você necessariamente.

Ficar na universidade durante algum tempo, curtindo as festas e a turma, sem maiores responsabilidades além de estudar, também é delicioso. Contudo, chega a hora em que temos de deixar isso para trás e nos abrirmos a novas experiências de vida.

A felicidade só vem quando nos satisfazemos de maneira equilibrada. Ser feliz é poder surfar nas ondas da vida como um todo e explorar todas as nossas possibilidades.

A vida se assemelha a uma viagem para um lugar distante. Paramos e ficamos algum tempo em um hotel, mas não podemos viver ali para sempre, pois precisamos avançar, uma vez que há novos lugares para serem descobertos e novas experiências para serem vividas e aproveitadas.

Procure fazer tudo com alegria

Há algum tempo, eu viajava muitas vezes por semana para dar palestras e me sentia cansado e preocupado com essa situação.

Um dia, conversei com uma psicóloga mineira chamada Gisleine Assunção sobre o cansaço do meu estilo de vida. Ela, com a tranquilidade de sempre, falou uma frase muito simples que mudou a minha perspectiva de fazer as coisas: "Roberto, não é o que você faz, mas como você faz. Quantas pessoas gostariam de estar no seu lugar: viajar para lugares fascinantes, hospedar-se em hotéis elegantes, encontrar plateias ávidas por aprender?".

É verdade! O problema não era viajar tanto, e sim sair para viajar com uma atitude negativa com relação ao meu trabalho.

> O problema não é o que você tem de fazer, mas como vai fazer o que é preciso.

Observe os garis que recolhem o lixo pela cidade. É uma profissão bastante difícil e sacrificada, mas olhe como eles brincam entre si enquanto pegam as latas e sacos.

Outro exemplo são os carteiros. Eles andam o dia inteiro debaixo do sol brasileiro, e às vezes imersos no frio do sul. São muitas vezes atacados por cães, enfrentam chuva, cansaço, mau humor das pessoas... tudo o que deveria ser um convite para o mau humor, mas a grande maioria deles está sempre com um sorriso pronto para dividir conosco!

Muitas pessoas transformam o que fazem em obrigação e aí a infelicidade acontece. Seja nas tarefas domésticas, seja quando ajuda o filho a fazer lição de casa, seja nos momentos em que dá atenção aos pais idosos, seja na relação com os clientes mais exigentes do seu negócio, coloque seu coração e sua alma no que você faz e nunca mais vai trabalhar infeliz.

É muito melhor relaxar com a sensação de ter realizado seu melhor naquele dia se você for dormir tranquilo por cumprir seu dever. Depois acordará com vontade de pular da cama e se jogar nas surpresas da vida para aquele novo dia, como fazia quando era criança. Portanto, durma e acorde com a expectativa infantil pelas surpresas que a vida traz a você e sempre poderá aproveitar a aventura de viver com paixão cada novo dia de sua vida.

Não é o que você faz, mas como faz!

7
levante-se da cadeira e vá atrás do que lhe dá frio na espinha

Eu sempre digo para você ir atrás de seus objetivos, mas quando falo isso não estou me referindo só às metas profissionais, pois não quero que você tenha uma vida limitada. Você deve buscar para sua vida tudo o que deseja.

A vida é muito mais que trabalho. A **felicidade** vem de você se realizar de várias maneiras. Você até pode viver por um tempo sem se sentir completo, mas não dá para ser alguém pela metade para sempre e ignorar que falta uma parte de você.

É preciso se sentir inteiro, completo, pleno de verdade, e não ser incompleto e fazer de conta que é feliz. A verdadeira felicidade vem de conciliar um mundo que existe dentro de nós, harmonizando os vários papéis que assumimos na vida.

> Vejo homens com toda a coragem do mundo para iniciar um novo negócio e ganhar milhões, mas, na hora em que estão diante da mulher por quem são apaixonados, congelam e não sabem como agir. Ou, pior, deixam a insegurança dominar e passam a tratá-la com indiferença, só para se autoafirmarem.

Da mesma maneira, há executivas poderosas que agem feito adolescentes inseguras quando seu coração bate mais forte por alguém. Por que isso acontece? Por medo puro de se envolver, de se entregar e depois fracassar.

Geralmente, quem é bem-sucedido nos negócios não quer fraquejar de jeito nenhum em outras áreas. Por isso, muitas vezes nem arrisca, simplesmente porque fica inseguro quanto à vitória.

Faz parte de qualquer romance pedir que o outro o ame e que deixe a capa de super-homem ou supermulher e mostre seu lado frágil, mas isso também assusta muito, e esse medo muitas vezes acaba levando a pessoa ao isolamento. Não é à toa que se associa sucesso profissional à solidão.

Por outro lado, há pessoas que conquistam todos os paqueras que desejam, mas na hora de procurar alguém para propor parceria nos negócios, tremem na base. Essa não é a "praia" delas e por isso sentem medo.

Tenho um amigo que se separou da esposa de maneira turbulenta quando a filha era recém-nascida e acabou ficando longe da criança por muitos anos. Chorava de vontade de procurá-la, mas o medo de ser rejeitado fez com que ficasse longe.

Um dia, quando tentou um contato, a filha disse que não queria vê-lo porque ele a tinha abandonado quando ela mais precisou. Naquele momento, ele simplesmente congelou. Falou que respeitaria a vontade dela, embora no fundo quisesse se aproximar. Meu amigo teve trabalho para juntar coragem e batalhar pelo sonho de conviver com a filha, até que um dia reataram.

Não importa qual seja nosso sonho, todos nós temos aspectos que nos fazem gelar de medo. E esse congelamento é sinal de que não devemos desistir desse ideal, pois ele reflete nossa mais louca paixão. Persegui-lo com toda energia é o que vai aumentar sua percepção de que está vivo e trazer a felicidade que você merece!

> **O medo presta um ótimo serviço ao nos despertar: ele nos avisa quando estamos prestes a fazer algo determinante em nossa vida.**

É importante aprender a reconhecer quando você sente medo. Pode ser o indício de que está perto de um desafio importante a ser superado. Portanto, esse é um sinal de que se trata das metas mais importantes da sua vida.

Então, quando estiver com medo, faça alguma coisa... Nem que seja pedir socorro! Pedir ajuda não é vergonha e pode ser o começo de uma revolução na sua vida.

Observe como a insegurança aparece nas suas decisões e emoções, mas não se deixe paralisar. Avance e continue sendo o dono da sua vida.

Se você esperar até que tudo esteja certo e seguro para começar a navegar em busca de seus sonhos, vai passar sua vida parado em um porto, que com certeza não é onde você quer estar.

Quero pedir que agora você pare a leitura deste livro por um momento e faça esta investigação pessoal:

- Pense: qual é o objetivo que está exigindo que você levante da cadeira e vá trabalhar para realizá-lo?
- Escreva em letras garrafais qual é o seu sonho, neste momento, que exige que você coloque energia para realizá-lo. Isso ajuda a focalizá-lo.
- Desperte seus reais desejos, busque o que sempre o inspirou: uma profissão, um filho, um lugar para morar bem.
- Pergunte a si mesmo: você se sente exatamente como e onde deveria estar? Você está no lugar certo, no momento certo da sua vida? Se não, o que falta?

Às vezes, o medo se esconde e se disfarça em incerteza. Temos a impressão de que não sabemos o que queremos, quando na verdade sentimos receio de assumir os nossos sonhos, principalmente os grandes.

Será que não é o seu caso? Aquela mulher é "muita areia para seu caminhão" ou aquele curso é mesmo difícil demais de acompanhar?

Seu sonho é grande demais? Assuma-o! Todas as coisas que valem a pena exigem trabalho.

Um dia, você ainda vai agradecer a si mesmo por ter tido a coragem de bancar aquilo que seu coração pediu.

Vá em busca desses sonhos com garra, vontade e prazer de realizá-los. Dê mais energia a seus sonhos do que você dá a seus medos.

Trabalhe e lute até conseguir. Isso é o mínimo que você pode fazer por si mesmo, se deseja ser feliz.

Pratique o perdão

Aquele que põe seu foco no presente não se escraviza pelo que já passou. Por isso, uma das formas mais eficazes de destravar seu caminho e deixar o passado para trás é praticando o perdão.

Quando perdoamos, livramos a alma da energia negativa daquelas pessoas que nos feriram e daquelas situações que nos magoaram um dia.

Então, para seu próprio bem e felicidade, deixe-as para trás. Liberte a si mesmo dos seus fantasmas, da imagem ou lembrança de pessoas e acontecimentos que já não merecem mais fazer parte da sua vida, mas ainda o assombram.

Para ter o coração limpo a fim de se relacionar com novas pessoas, é importante que você se desligue da energia daquelas que o magoaram. Talvez essas pessoas não mereçam seu perdão, mas eu não estou lhe dizendo isso pensando nelas. Eu acredito que isso é importante para você.

Você merece os benefícios do perdão. Segurar mágoas não vai fazer justiça, nem punir ninguém pelas coisas ruins que fez. Só vai amargurar seu coração.

Pense bem: que droga de tática é essa de você não perdoar o outro e acabar castigando a si mesmo, que já sofreu o suficiente? Passe por cima do que houve, para seu próprio bem.

Procure enterrar sua dor e deixar sua alma livre para viver cada dia melhor. Isso, sim, vai fazer bem a você.

Se você perceber que a pessoa que o magoou tem coração bom, procure entender o erro dela e diga que já a perdoou. E que seu coração está aberto para um novo convívio.

Contudo, se o sujeito tem um mau caráter, manter-se perto dele só vai gerar mais sofrimento. É hora de você perdoá-lo, apesar de tudo, e se despedir dele. Assim, não terá mais que conviver com sua energia de baixa qualidade.

Quando você perdoa, dá a si mesmo a liberdade de seguir seu caminho, sentindo paz com relação ao passado, energia no seu presente e confiança no futuro.

Perdoar não é só libertar o outro, mas principalmente libertar a si mesmo do que aconteceu e parar de aceitar ser prisioneiro do mal que foi feito a você.

No seu dia a dia, com certeza você já viu casos de um pai perdoar o assassino do filho, de um funcionário perdoar o destempero do chefe, de irmãos briguentos se perdoarem depois de grandes conflitos, e de tantas outras situações em que o perdão libertou as pessoas. Então, por que você também não pode lançar mão dos benefícios do perdão?

> Faça do perdão seu plano de fuga dessa prisão terrível que é a mágoa.

Evite reclamar

As pessoas que reclamam muito estão se prendendo a desculpas para não avançar na vida.

Já reparou que tem gente que acha mil defeitos sempre nas mesmas coisas? Esse vício é como ficar se mexendo dentro da areia movediça: faz cada vez você afundar mais.

Uma pessoa que fica se queixando a todos que um familiar é chato, no mês seguinte vai fazer o mesmo de outro parente.

Há mulheres que reclamam que os homens são acomodados, mas só se cercam desse tipo para ganhar munição a esse comentário.

Um homem que reclama que a esposa é dependente e, em vez de ajudá-la a crescer, simplesmente troca de mulher, tempos depois estará reclamando de que a nova esposa é mais dependente ainda que a anterior.

Viver reclamando é como amarrar uma bola de chumbo aos seus pés, como daqueles prisioneiros norte-americanos que a gente vê nos filmes.

É um estilo de vida das pessoas que usam desculpas para não fazer o que tem de ser feito.

Ter vontade de reclamar incessantemente de alguém é um claro sinal de que você precisa resolver uma questão importante na sua vida: o hábito de só ver defeitos nos outros e em tudo o mais.

Controle essa vontade e pense em formas de mudar esse comportamento.

Considere isso como um vício tão negativo quanto o de fumar, porque destrói sua coragem de se relacionar bem com os outros da mesma maneira que a fumaça do cigarro destrói os pulmões.

Trate esse vício com seriedade. Acabe com ele da mesma maneira que as pessoas acabam com o vício de fumar. Quando tiver vontade de reclamar de alguém, tenha sempre à mão uma alternativa.

Por exemplo, para cada "defeito" que você quiser apontar em alguém, esforce-se para pensar em três qualidades que aquela pessoa tenha.

Você tem implicância com sua chefe? Não precisa ser amigo(a) dela, precisa apenas conseguir trabalhar com ela e observar se outras pessoas se dão bem com ela. Talvez suas queixas se devam ao fato de que essa mulher é ou tem algo que você gostaria de ser ou ter.

Por isso, preste atenção às suas reclamações. Por trás delas, certamente há muita coisa que você se recusa a assumir.

Você odeia sua sogra? O que você faz para se conectar com ela?

Seu emprego é horrível? Por acaso você é obrigado a trabalhar naquela empresa?

Toda reclamação tem um pedido de ação dentro dela, mas só os corajosos e os loucos por viver bem conseguem atender a esse pedido.

As pessoas que tendem a achar defeitos em tudo e em todos são as que mais sofrem. Não é só uma questão de rabugice. Muitas vezes são mágoas acumuladas que motivam essa postura e trazem tantos dissabores.

Para ser feliz de verdade você tem de aprender a dissolver as mágoas.

Quanto mais você reclamar, menos assumirá a responsabilidade por sua própria vida

Somente quem está em paz consigo mesmo é capaz de viver em paz com os outros. E quem tem paz no coração encontra alegria e prazer na vida.

Deixe de reclamar e fuja do que não faz bem a você

Há uma história de que gosto muito, baseada nos ensinamentos de Ramakrishna, famoso líder religioso hindu:

> Um pássaro estava voando com um rato morto no bico e um bando de pássaros o perseguia e ameaçava atacá-lo.
> Ele foi alcançado e passou a ser alvo das bicadas dos outros pássaros.
> Em meio à luta, ele abriu o bico e o rato caiu. Imediatamente, todo o bando voou em direção ao rato e deixou o pássaro em paz.
> Os outros pássaros não estavam contra ele. Apenas queriam a mesma coisa que ele: o rato.

Muitas vezes, uma pessoa está sendo atacada e não se dá conta de que a agressão não é contra ela. Na verdade, os outros apenas querem estar no lugar que ela ocupa.

É comum vermos uma empresa familiar em que a pessoa no comando é alvo de muitas críticas dos membros. Na verdade, os familiares apenas querem ter esse comando para si.

Em outras vezes, a pessoa está casada com alguém que não ama mais, e ainda vive sendo atacada pela família do companheiro. Essa interferência só complica tudo, mas a pessoa não desiste desse relacionamento, ou seja, não "larga o rato morto". Está mais que claro que é hora de ir embora desse casamento em que está tudo errado e se dar nova chance de ser feliz com outro par.

Se esse é o seu caso, e você já não aguenta mais as agressões, "largue o rato morto". Largue essa situação sem saída e toque sua vida em frente!

É possível que você esteja carregando um negócio falido há tanto tempo que pensa que isso é normal.

Na hora em que você deixar a situação ir embora, vai perceber quanto ela a escravizava.

Por que insistimos em segurar ratos mortos? Compramos brigas enormes sem uma causa que as justifique apenas pelo prazer de competir por algo que muitas vezes nem vale a pena.

Há alguns anos, fui presidente de uma associação em que havia muitas brigas políticas. Por causa disso, as pessoas me atacavam de todos os lados. Em um certo momento, me dei conta de que estava apegado ao cargo, pela vaidade de ser presidente da entidade, mas não valorizava mais aquele trabalho, nem tinha vontade de participar daquelas discussões.

Quando pensei em largar a associação, é claro que a minha mente relutou muito, mas, depois de um tempo, percebi quanto aquilo tudo não tinha a ver comigo. Eu me sentia machucado, ressentido, porque considerava as agressões contra a minha pessoa. Contudo, depois que saí dessa associação, tive muito mais tempo livre para fazer as coisas que me gratificavam. Percebi também que as pessoas que me criticavam queriam apenas o meu lugar de presidente.

Muitas vezes, as pessoas entram em brigas que não tem a ver com elas, somente pelo prazer de mostrar poder. Isso é o que eu chamo de se apegar ao "rato morto".

Largue a empresa, ou o cargo que está matando sua essência. Se você não se sente útil nem valorizado, apegar-se a esse grupo de trabalho por quê?

Como você vai ser produtivo e dar resultados em um clima hostil? Deixe que outro assuma o seu lugar e vá ser feliz. Faça acontecer o que você quer de verdade.

As coisas precisam terminar. Todas as coisas, até mesmo aquelas que parecem vantajosas à primeira vista.

Um dia, você vai ver a morte à sua frente e perceber que seu tempo neste planeta acabou. Portanto, faça acontecer agora tudo o que quer realizar. **Limpe** sua vida de todos os ratos mortos e construa uma nova, do jeito que você quer.

Deixe de ser dependente

> para ser dono da sua vida, é fundamental não depender de outras pessoas ou de fatos cuja solução está fora de seu alcance.

Se nada terminasse, nada de novo começaria!

Não há problema em ter a ajuda dos amigos, mas precisar que os outros assumam ações decisivas em sua vida é se colocar em compasso de espera e não realizar o que é importante para você.

Vivi uma história que é um bom exemplo de como uma pequena atitude de dependência pode significar longa espera por uma realização que talvez nem mesmo venha a acontecer.

Há alguns anos, fui fazer uma palestra em Brasília, e o evento estava atrasado. Uma moça me procurou e disse:

— Roberto, eu assisti à sua palestra aqui no ano passado.

— Que bacana!

— Você falou de metas e eu criei uma para mim.

— Que legal! E qual é a sua meta?

— Fazer você me dar um presente: um livro seu autografado. Você realiza essa meta para mim?

Eu olhei para ela, sorri e respondi:

— Não estabeleça objetivos que dependem de outras pessoas para ser alcançados, porque você corre o risco de travar sua vida, esperando que os outros façam aquilo que você deveria realizar.

Imagino até que ela talvez quisesse ler meu livro para ser mais independente, mas quando definiu ganhar o livro de mim, ficou parada até me encontrar e pedir que eu fizesse o que ela queria.

> Se o que você quer conquistar depender dos outros, não é meta, é expectativa. E expectativa infundada é a raiz de muita frustração!

Outro exemplo: a pessoa espera que a chefe consiga a promoção dela ou que a empresa cuide da carreira dela. Isso não funciona mais assim, faz tempo. É você que tem de administrar sua carreira e batalhar por suas promoções.

Todo mundo tem preocupações, e eu vou lhe contar um segredo: a única pessoa que vê você como prioridade é... Você mesmo.

Você não se vê como prioridade? Então não espere isso de mais ninguém.

Os pais morrem, os filhos crescem, os empregos começam e acabam, os amigos e os clientes vêm e vão. Você é o único que viverá consigo mesmo cada minuto de cada dia.

Você tem vontade de fazer uma viagem, mas depende de companhia? Está perdendo tempo. Tantas pessoas viajam sozinhas e voltam cheias de amigos e histórias para contar!

Talvez já tenha ouvido algum amigo dizer "Vou conseguir dinheiro com meu pai para montar um negócio". Embora essa pessoa pense em ter um negócio para ser independente, ao criar o objetivo de recorrer ao pai ela bloqueia sua independência.

Quando você tem um **objetivo**, precisa se comprometer em realizá-lo. Sem desculpas nem justificativas. Sem deixar a responsabilidade nas mãos dos outros.

O fracasso não pode ser uma opção, embora seja necessário se arriscar a encontrá-lo em alguns trechos do nosso caminho, mas a dependência das ações dos outros não pode fazer parte do seu plano de ação.

Quando você está comprometido, toma a frente de seu desafio e se dispõe a morrer lutando pelo seu objetivo. Então consegue a vitória. E mesmo que amargue um fracasso, sairá ganhando: vai digerir a experiência e transformar os erros em aprendizado para vencer depois.

> Existe uma grande diferença entre comprometimento e apenas vontade de fazer.

Quando você tem apenas vontade de fazer algo, só realiza quando é conveniente e está disposto. Quando você está comprometido, não aceita desculpas, somente resultados.

Quando você está comprometido, não fica na dependência de fatores externos ou de outras pessoas para se manter na sua luta pelo sucesso.

Liberte-se da dependência, seja ela de que tipo for. Acredite na sua força para conquistar tudo que você quer na vida.

Se você quer manter sua **integridade** e autonomia, tem de chamar para si o poder de decidir sobre sua vida e escrever sua história.

Comece a viver apaixonado

Você tem sonhos que estão esquecidos no fundo do coração?

Acha que eles não são para você?

Você precisa mudar essas ideias. Todos os seus sonhos existem para você realizá-los.

Talvez você esteja desanimado, precisando despertar de um conformismo exagerado com suas dificuldades. Está na hora de começar a viver com intensidade.

Talvez você goste do seu trabalho, mas mesmo assim sinta que falta algo. É preciso encontrar um propósito e colocar paixão no que você faz. Só assim ficará mais feliz e satisfeito.

Está difícil cumprir suas tarefas? Parece que ler qualquer coisa na internet é mais interessante do que o projeto que precisa fazer? Hora de investigar onde foi parar sua paixão pela profissão.

Não existe dia de trabalho mais gostoso do que aquele em que saímos sentindo que demos o nosso melhor – e, assim, deixamos uma marca no mundo que é só nossa.

A procrastinação nada mais é do que um sintoma da falta de paixão.

Talvez neste momento você esteja em um relacionamento bom, amando de verdade, mas sente que ainda falta algo. Coloque entusiasmo nesse relacionamento e passe a curtir esse amor.

> - Se você está em uma profissão de que não gosta, mude de ocupação!
> - Se trabalha em uma empresa que não admira, procure outra.
> - Se quer montar seu empreendimento, prepare-se, encha o peito de ar e avance.

Quer encontrar um grande amor? Ele estará esperando por você no dia em que começar a trabalhar por suas paixões e aparecer nos lugares onde elas estão. O mesmo vale para contatos profissionais e oportunidades de todo tipo.

Não aceite o tédio como seu destino absoluto e imutável, nem que o conformismo se transforme em comodismo e tire sua força. Coloque energia na sua vida.

Quando você começar a fazer o que curte, vai perceber que a sensação é de como se aquilo que você estava buscando o encontrasse.

Alguns dão a isso o nome de sorte, mas a sorte não vem se você não se mexe, se cruza os braços e fica esperando o tempo passar.

Sua vida parece sem graça, mesmo com tudo aparentemente dando certo para você? Reflita se ela está sendo construída em cima de coisas que realmente você ama fazer.

Talvez você esteja com sede de descobrir novos amores. Conquistou o que planejou e agora está pronto para outros desafios. Percebe, porém, que existem alguns pontos que não acontecem como você deseja.

Então, examine seu dia a dia e defina em que esfera você precisa começar a injetar paixão:

- É no "que você faz" que está o problema? Reveja suas atividades e acrescente ações que proporcionem prazer.
- É no "por que você faz o que faz" que falta energia? Mergulhe nos seus motivos e encontre um sentido de missão.
- É no "como você faz" que está o enrosco? Dê tudo de si e ainda mais um pouco pelo que vale a pena fazer.
- É no "com quem você faz" que o bicho pega? Extirpe as pessoas tóxicas do seu dia a dia e cerque-se de parceiros de verdade.

O importante é você perceber que, quando falta **paixão** por viver, a vida não tem mesmo graça. E a chave para mudar isso está nas suas mãos. Nem pense em delegar a tarefa para outra pessoa.

Então, se sentir que tudo está certo e ao mesmo tempo tedioso, saia do ponto morto e acelere com intensidade. Crie paixão a cada momento. Sobre isso, um poeta canadense chamado Mark Strand tem uma frase boa: "Cada momento é um lugar onde você nunca esteve". Aproveite!

Pense que cada momento que passa é uma nova chance a agarrar. Imagine quantos momentos existem para viver e quantos lugares para visitar! Tudo isso só esperando você perceber que para ser feliz só precisa ser louco por viver.

Talvez você tenha sucesso na vida, mas não esteja dando atenção ao que está no seu íntimo, e que é básico para você ser feliz.

Se falta um "bem-querer" por si mesmo e pelo que seu coração pede para você cuidar, aceite este desafio: apaixone-se por você e pelo que faz bem à sua alma.

Na verdade, o que mais importa não é como é sua vida, ou quanto ela seja difícil ou fácil, limitada ou ampla, e sim a paixão que você tem por ela.

Dizem que certa vez um médico disse ao grande poeta Vinicius de Moraes:

— Vinicius, se você continuar bebendo desse jeito, sua vida não será longa.

E o poeta respondeu:

— Não me interessa que minha vida seja longa... O que me interessa é que ela seja intensa!

Não quero dizer que você deva chegar ao extremo de menosprezar os cuidados com sua vida e viver de qualquer maneira, ou não ligar para a falta de qualidade que pode estar tendo nela. Apenas quero lembrar a você que ninguém deixa um legado significativo sem ser apaixonado por viver.

Em outras palavras, não importa quanto você ainda vai viver. O que vale é quanto de vontade de realização e paixão você coloca em cada momento.

Comece agora mesmo a se apaixonar por viver. **não espere aparecer uma doença grave para entender que poderia ter vivido mais**.

Você não faz a diferença para ninguém se não fizer para si mesmo. Trate-se como você trataria um grande amor.

Como disse Charles Chaplin: "A vida é uma peça de teatro que não permite ensaios. Por isso, cante, chore, dance, ria e viva intensamente, antes que a cortina se feche e a peça termine sem aplausos".

Conheça o funcionamento da sua mente

> Para estar com a mente livre, é preciso conhecer como ela funciona.

Na maioria das vezes, a infelicidade nasce do conflito que existe em sua mente, entre seus objetivos conscientes e os inconscientes. Muitas vezes, eles costumam ser conflitantes.

Esse dilema pode ser visto claramente na contradição entre o que a pessoa fala e o que ela faz. Quando você conversa com uma pessoa com essa dificuldade, percebe que ela fala de seus objetivos conscientes. Mas quando age, mostra seus objetivos inconscientes.

As ações mostram o que uma pessoa é, mas suas palavras mostram quem ela quer ser, ou quem ela pensa ser.

Por exemplo, você diz que quer viver um grande amor, mas trata mal as pessoas que se aproximam. Então, seu objetivo consciente é ter alguém para amar, mas o inconsciente é ficar sozinho.

Se uma pessoa diz que tem o objetivo de ganhar muito dinheiro, mas desde criança criou a ideia de que as pessoas ricas sofrem e que o bom mesmo é ser pobre, há um conflito claro em sua mente. Como esse objetivo de continuar pobre está no seu inconsciente, ela vai ter dificuldade para perceber que essa é a ideia que está prevalecendo.

Se você diz que está em um projeto novo e importante e que isso vai impulsionar sua carreira, mas no dia a dia perde a hora, chega atrasado, não respeita prazos, não cumpre o prometido, o mais provável é que acabará sendo excluído da equipe. Ou seja, você diz que quer melhorar de vida, mas age para continuar como um derrotado.

Aquilo em que você acredita de modo inconsciente vai tender a dominar suas ações.

> Para ser feliz, você precisa ter crenças inconscientes compatíveis com seus objetivos conscientes.

Por mais que uma pessoa aja como se fosse preguiçosa, ela nunca vai perceber que seu objetivo inconsciente pode ser viver dependente dos pais. Quando ela observa com cuidado sua atitude de viver pedindo dinheiro para os pais, a pista para essa conscientização fica clara.

Se ela tem vontade de ganhar muito dinheiro, suas ações devem ser coerentes com esse objetivo.

Se ela não sente vontade de agir de acordo com o

objetivo de ganhar dinheiro, é importante assumir que não tem essa ambição. Essa consistência vai dar paz para sua alma.

Resumindo: ou você age para realizar o objetivo de que tanto fala, ou muda sua meta. Ou age conforme aquilo que fala, ou repensa tudo, volta dois ou três passos e recomeça por outro trilho.

Quando existe a integração do consciente com o inconsciente da pessoa, ou seja, existe a coerência entre discurso e ação, seu objetivo vai ser realizado.

Observe suas atitudes e simplesmente pergunte a si mesmo: minhas ações demonstram que o objetivo que eu digo que tenho é realmente a minha meta?

Para simplificar essa verificação, siga os seguintes passos:

1. Escolha um objetivo seu, do qual você fala muito para seus amigos.
2. Faça uma lista de tudo o que você diz sobre esse objetivo.
3. Agora faça uma lista das suas ações positivas e negativas com relação a esse objetivo.
4. Compare as duas listas.

Por exemplo, você diz: "Roberto, eu quero ter um corpo saudável".

Só que a lista das suas ações é: eu bebo muito, como *junk food*, não faço exercícios físicos.

Cuidado! Seus objetivos conscientes e suas intenções inconscientes estão em conflito!

Observe dentro de você a força de não se cuidar e comece a agir de acordo com o objetivo que você fala que tem.

Quanto aos filhos, imagino que ninguém pense "eu quero ter filhos para ver apenas uma vez por ano". Assim, se o objetivo de uma pessoa é estar presente na vida do seu filho, por que ela acaba vendo a criança somente uma vez por ano ou, pior ainda, alguns pais abandonam os filhos e nunca mais aparecem?

No objetivo de carreira, imagino que ninguém tenha a meta consciente de ser demitido e ficar desempregado a cada seis meses, todos os anos. Se o objetivo da pessoa é ser um profissional competente e bem-sucedido, por que ela está sempre desempregada?

Novamente: essa dinâmica demonstra um conflito entre as metas conscientes e as crenças inconscientes da pessoa.

Atente, portanto, a algo superimportante: o principal ponto aqui, para a sua vida, é se dar conta de como você estrutura seus objetivos, de maneira consciente e de modo inconsciente. E perceber se há incoerências ou inconsistências entre esses objetivos.

Quando você perceber essa incoerência, é muito importante criar uma atitude de observação e ajuste de suas crenças inconscientes com seus objetivos conscientes. Se for preciso, procure ajuda profissional para fazer esse ajuste.

Cumpra o que você prometeu e respeite sua palavra

A sua palavra tem de valer sempre!

Há pessoas que estão sempre adiantadas para seus compromissos profissionais, mas atrasadas para os pessoais. Deixam os filhos esperando, o namorado em segundo plano, a esposa em último lugar.

Existem muitos empresários organizados na empresa, mas desorganizados no amor e no convívio com a família.

Todo mundo é desorganizado em algum aspecto da vida, mas não podemos deixar que isso vire rotina a ponto de prejudicar nossos relacionamentos e comprometer nossa felicidade.

Não prometa o que você não pode cumprir, e sempre cumpra o que prometeu. A pior coisa que pode acontecer na sua vida, profissional ou pessoal, é a sua palavra deixar de ter valor. Primeiro porque as pessoas vão se sentir desvalorizadas por você, não importantes. Depois, porque sua palavra não vai mais servir para coisa nenhuma.

Cumprir a palavra é demonstrar respeito a si mesmo e aos outros.

Não cumprir suas promessas costuma destruir carreiras, famílias, relacionamentos e amizades. Já pensou o estrago que é um filho não acreditar nas promessas, ou seja, na palavra do pai ou da mãe?

Não seja aquele amigo que sempre diz que vai aparecer na festa, mas na verdade sente preguiça e não vai.

Ou o profissional que demora semanas para responder um e-mail que jurou que resolveria o mais rápido possível.

> As suas desistências, ou negligências com seus compromissos, somadas, vão trabalhar contra você.

Então, quem tem o hábito de não dar o devido valor à sua palavra deve parar e pensar em mudar essa realidade. Faça isso agora. Evite adiar mais. Porque é a sua felicidade que está em jogo.

Albert Einstein disse: "Prefira ser um homem de valor, em vez de um homem de sucesso". Isso não é algo contra o sucesso, e sim uma exaltação ao valor com que você constrói seu sucesso!

O sucesso não é somente a consequência do que você faz, mas principalmente o resultado da pessoa que você é.

E para ser uma pessoa de **valor**, que constrói o sucesso em cima de valores, você precisa ter uma palavra de **valor**.

Para conseguir resultados melhores, temos de nos tornar melhores. Se você insistir em ficar descompromissado com o que promete, vai ser complicado ter um resultado significativo na vida.

Respeite a escolha das pessoas

> Quando reflito sobre a minha vida, uma das coisas de que mais me arrependo é do tempo e da energia que investi querendo mudar as pessoas para elas serem mais felizes.

Lembro quanto tempo gastei e quanta angústia causei para minha mãe, querendo que ela agisse de maneira diferente. É lógico que ela não mudava, e nem poderia. Mesmo que concordasse comigo, decidir mudar seria uma coisa só dela e algo que eu não poderia forçar.

Enquanto eu esperava minha mãe mudar do jeito que eu queria, eu travava a minha vida e não fazia o que realmente era importante para que fôssemos felizes.

Então, esqueça a ideia de que você pode fazer alguma coisa para que as pessoas mudem. Essa decisão é somente **delas** e você precisa respeitar isso. Aceite as pessoas como elas são e deixe que elas vivam o que estão dispostas a viver.

Pare de esperar seu pai bater palmas para todas as suas decisões. Ele pensa diferente e você pode amá-lo mesmo com discordâncias.

Seu filho vai ser do jeito que ele quiser, independentemente do que você fizer ou disser. Você pode ter a melhor das intenções, mas os erros dele serão só dele, assim como as alegrias que ele conquistar.

Seus pais vão viver como eles quiserem, porque a escolha da vida deles é responsabilidade somente deles.

Seu cônjuge é o dono da vida dele, embora vocês tenham uma vida em comum, que em muitos casos exigirá decisões em conjunto.

Não se sinta responsável pelas decisões das pessoas queridas. E deixe que elas mesmas vivam as consequências dessas decisões. Não tente poupá-las, porque as escolhas delas é que as levarão à vida que elas precisam viver.

Também não se culpe se elas sofrerem como consequência das decisões que tomarem. Você não é Deus e, por isso mesmo, não é responsável pela felicidade dos outros.

Pode parecer egoísmo, mas se sentir responsável pela vida dos outros é uma grande vaidade: quem é você para julgar as motivações e os desejos do outro? Você traz um peso desnecessário para sua vida e um estresse para suas relações.

Você muda somente a si mesmo, e nunca vai conseguir mudar a essência do outro. Tudo é uma questão do livre-arbítrio de cada um.

> Curta quem você ama do jeito que eles são e deixe a leveza dominar a ligação de vocês.

Na leveza existe diálogo e liberdade, e você vai ver como tudo flui melhor do que com suas tentativas de controle da vida alheia.

Seja um worklover

Um louco por viver costuma trabalhar naquilo que gosta e em coisas que dão ainda mais sentido à sua vida. Por isso, é natural que adore arregaçar as mangas e produzir.

Adorar trabalhar não significa necessariamente que você seja um *workaholic*, ou seja, um viciado em trabalho. Talvez uma expressão mais adequada à sua personalidade de louco por viver seja: worklover!

Qual a diferença entre os dois termos?

O *workaholic* tem três características: trabalha intensamente, muitas vezes mais de 12 horas por dia, e não consegue descansar nem curtir as pessoas.

Ele não desacelera porque geralmente vive preocupado. Quando viaja a passeio, não se desliga do trabalho porque não sabe se divertir, não consegue fazer amizades... O trabalho passa a ser a única coisa que (ele pensa que) o satisfaz, e sua vida longe do escritório passa a não ter sentido.

O *workaholic* pode até se casar, mas não se entrega ao amor. Quando tem filhos, não sabe brincar com eles e, pior ainda, fica angustiado quando é divorciado e tem de levar os filhos para as férias. Sua vida vira um caos, porque ele não sabe usufruir os momentos com as crianças. Tudo vira compromisso e tensão!

O *worklover*, por outro lado, adora trabalhar muito, descansa bem, adora se divertir, vive com intensidade e tem vínculos afetivos fortes. Ele trabalha muito porque adora o que faz, mas não se torna escravo do trabalho. Quando a gente adora o que faz, o tempo passa rápido.

No começo das férias, o *worklover* até pode ter um pouco de dificuldade para se desligar do trabalho, mas, na volta, ele também tem problemas em voltar a trabalhar porque mergulhou nas férias com intensidade.

A vida do *worklover* é cheia de emoções, pois ele coloca energia e seu toque pessoal em tudo o que faz. Ele é um apaixonado por viver e desfruta de tudo o que vive, seja trabalho, seja lazer.

Se você se identifica com o tipo *workaholic*, a aproximação das férias é um tempo de ansiedade. Sair do ambiente de trabalho, onde você tem a ilusão de ter controle dos sentimentos, se torna assustador. Ter tempo livre com os filhos, a mulher ou a namorada parece insuportável porque não sabe como lidar com isso.

Aniversários, Natal e datas importantes para a confraternização geralmente são um incômodo porque as pessoas se abraçam e se olham com mais intimidade e cumplicidade... Complicado para um *workaholic*.

Se você acha que é um *workaholic*, acostume-se a se desligar um pouco do trabalho e desfrute mais a companhia das pessoas queridas.

Você tem o direito de curtir sua vida. Abandone a ideia de que está perdendo tempo quando assiste a uma peça de teatro. Aliás, eventos culturais são ótimos para desenvolver nossa criatividade, sensibilidade e inovação.

Sair de férias com as pessoas que ama é a coroação de todo o prazer que você já tem no seu trabalho.

> Deixar de ser um workaholic e se tornar um worklover é o melhor presente que você pode dar a si próprio e a todos os que você ama.

Porém, se o seu perfil já é o do *worklover*, então aproveite ainda mais essa e outras áreas da sua vida, e seja cada vez mais louco por viver.

8

tenha um pensamento elevado

Para ver a vida de uma maneira especial, temos de nos colocar em um lugar especial.

Se nos deixarmos levar pela correria do dia a dia, influenciados pelas dificuldades e urgências que nos arrastam para o turbilhão de sempre, vamos acabar vendo somente mesquinharia, incompreensão e isolamento, além de ganharmos uma enorme ansiedade.

Contudo, se sairmos do plano em que o cotidiano acontece e olharmos de cima para as coisas, por um ângulo mais amplo, como se estivéssemos em um helicóptero, poderemos enxergar a paisagem de uma forma completa, e veremos quanto amor existe entre as pessoas.

Algum tempo atrás, eu estava no Nepal, em Kathmandu, e buscava uma excursão para escalar o Himalaia. Encontrei várias opções que poderiam me levar até diferentes alturas da cordilheira. Eu deveria escolher o tipo de excursão de acordo com o quanto queria subir. Então, perguntei para o senhor da agência qual ele me aconselhava. E ele respondeu: "Quanto mais alto você for, mais cansativo será o passeio, mais frio vai ficar e mais chance haverá de ter problemas".

Diante dessa resposta, o pensamento mais comum é que não é nada animador escolher uma excursão para um lugar mais alto! Então, perguntei: "E o que eu ganho se enfrentar todos esses problemas para ir mais alto?".

A resposta foi: "Quanto mais alto você for, mais sairá da multidão, e mais tranquilo será o local. Mas, o principal é que, quanto mais para cima você for, mais bela será a paisagem. Lá do alto, você terá uma visão que ninguém mais tem".

Assim também é a vida! Dá trabalho conseguir chegar a um lugar mais elevado, de onde podemos ver tudo ficando longe da correria diária, nos distanciando das reações de irritação só porque o outro não fez o que queríamos, das preocupações por pequenas bobagens que não vão definir nosso rumo, e do egoísmo de somente lutar pelos próprios interesses.

Quando nos colocamos em um plano **elevado**, vemos a vida por uma dimensão mais ampla e, portanto, agimos de maneira mais elevada.

De um lugar que está acima, conseguimos ver que as pessoas não fazem o que nós queremos que elas façam simplesmente porque cada um possui uma própria maneira de agir.

De cima, é possível ver que os outros só pisam em nossos pés porque estão concentrados demais no que querem para si mesmos e não olham para o lado. E que, quando alguém age com mesquinhez, só faz isso porque morre de medo de perder o que já conquistou.

Quando entendemos os motivos das ações das pessoas, conseguimos vê-las como seres de luz em busca de seu próprio caminho. Então, nos tornamos pessoas mais amorosas, que não se inflamam e se incomodam com disputas pequenas.

É exatamente sobre ter um ângulo de visão mais amplo da vida, a partir de um plano mais elevado, que quero falar com você agora.

Procure sempre ser gentil e doe pelo prazer de ajudar

Viva de modo que faça a diferença na vida de quem cruza seu caminho.

> As pessoas mais felizes olham para o lado e estão sempre dispostas a ajudar o próximo.

Geralmente, as pessoas que se sentem mais miseráveis são as que mais vivem obcecadas consigo mesmas.

Hoje em dia, as pessoas estão tão preocupadas com suas próprias metas que se esquecem da generosidade, da irmandade, do interesse legítimo em ajudar o outro pelo simples prazer de colaborar. Contudo, é a gentileza que gera gentileza e felicidade.

Precisamos treinar fazer o bem para o outro, sem ter interesse no que receberemos em troca. É necessário fazer pelo outro sempre mais do que o outro faz por nós, e essa é a fórmula para receber mais da vida.

No mundo de hoje, é importante resgatar o significado da palavra doação, de fazer algo simplesmente porque amamos o outro. **amar** alguém não significa um bem-querer porque ele nos traz benefícios. Ou porque encontramos alguém que tem uma maneira que nos agrada. Amar alguém significa doar simplesmente porque a outra pessoa existe.

Por essa razão é que a capacidade de amar o outro e de fazer o bem não deve ser condicionada a requisitos egoístas. Seja bom, seja amoroso. E, se o outro não retribuir, entenda que essa é a personalidade dele, é seu jeito de ser, e que isso só diz respeito a ele, ou seja, não tem a ver com você.

Nossa paixão por viver também vem de ajudar os outros a serem felizes. Por isso, ajude as outras pessoas, mesmo que elas nunca forem retribuir, e mesmo que você nunca ouça um "muito obrigado". Não deixe que a natureza dos outros impeça você de manifestar seu amor. Pense que você está fazendo a sua parte e faça seu melhor.

Embora muitas vezes você não perceba, a alegria que repartimos com quem precisa dela contribui muito para encher nosso próprio pote de felicidade. Pessoas felizes ajudam os outros a serem felizes. Pessoas apaixonadas pela vida ajudam os outros a se apaixonarem também. E isso vale para os dois lados.

Cerque-se de pessoas amorosas

Contam que um mestre estava se preparando para atravessar um rio e um escorpião pediu que ele o carregasse até a outra margem. Os discípulos tentaram em vão convencer o mestre a não levar o escorpião, mas ele decidiu ajudar o bichinho e o levou no ombro enquanto nadava.

Quando estavam chegando ao outro lado do rio, o escorpião picou mortalmente o sábio. Enquanto o homem agonizava, os discípulos o criticaram por ter aceitado ajudar um ser que sempre pica os outros. Nos seus últimos minutos de vida, o mestre falou: "Eu não poderia deixar de ser eu, e infelizmente ele não conseguiu deixar de ser ele".

Eu acredito muito em escolher bem as pessoas com quem vamos conviver, porque raramente uma pessoa muda profundamente sem ter um motivo drástico.

Tem gente que escolhe viver com pessoas ricas, outros procuram ter ao seu lado os mais cultos. Eu acho mais importante viver com pessoas amorosas.

A vida fica muito melhor perto daqueles que exercitam a capacidade de doação e de amar plenamente. Por isso, escolha pessoas **generosas** para estarem ao seu lado.

Exercite também a sua generosidade. Quanto mais generoso você for, mais generosidade vai atrair. A gentileza e a leveza das relações não têm uma cota-limite definida. Elas se multiplicam e fazem a vida mais gostosa.

Pessoas amorosas têm prazer em dar força aos que as rodeiam, ficam felizes em ajudar e procuram estar por perto quando as coisas apertam. Quem tem um estilo mais individualista de agir, ao contrário, fica esperando ser cuidado, paquerado e mimado. Mas costuma se frustrar, porque quem só quer receber nem sempre consegue ficar o tempo todo satisfeito.

Se você se cerca de pessoas com essa atitude, que só querem ser cuidadas, vai ficar sempre dando, sem receber em retorno. Isso não vai fazer feliz nem você nem o individualista.

Como saber quem é generoso? É bem simples: convide essa pessoa para qualquer atividade, mesmo que seja um simples café. Observe o jeito como ela age, desde como ela passa o açúcar até se ela se oferece para dividir a conta.

Os generosos tendem a estar atentos às suas necessidades; já os individualistas tendem a ficar passivos, esperando ser cuidados. É lógico que existem detalhes mais sutis dessas personalidades. Por exemplo, o generoso sempre fica feliz e celebra com você suas vitórias, enquanto o individualista prefere ficar com inveja de você.

Precisamos ter pessoas ao nosso lado que vibrem com nossas conquistas. Como disse a cantora e atriz norte-americana Bette Midler, a parte mais difícil do sucesso é conseguir alguém que vibre com suas vitórias.

Uma vez que você está ao lado de uma pessoa generosa, seja generoso também, porque esse tipo de relacionamento é sempre muito rico. Vejo gente tendo vergonha de demonstrar afeto pelos outros. Então, mesmo sendo de caráter generoso, acaba parecendo uma pessoa fria, ou mesmo egoísta.

Por isso, habitue-se a mostrar sua generosidade. O relacionamento vai ficar mais gostoso e você colocará muitos sorrisos em vários rostos. Inclusive no seu.

Demonstre ao outro quanto ele é importante para você

> Uma pessoa que sente gratidão sem manifestar isso, é como alguém que compra um presente, mas não o entrega.

A melhor maneira de ter amigos é ser amigo, ou seja, demonstrar seu carinho pelo outro, sendo leal e companheiro. Mande um e-mail. Ligue de vez em quando. Ofereça ajuda quando perceber que o outro está precisando. Dê o que ele necessita.

Todo mundo anda ocupado demais para **enxergar** o outro e isso gera muita solidão. Por isso, quando conversar com as pessoas, pergunte sobre a vida delas, mas realmente escute as repostas. Tem gente que pergunta por perguntar e nem mesmo ouve o que o outro responde.

Sente ao lado da pessoa e peça que ela fale de si mesma. Ajude-a a descobrir o que a está incomodando. Ofereça ajuda, atenção e colo nos momentos difíceis pelos quais ela estiver passando.

Aliviar o fardo do outro, ao contrário do que muitos pensam, não é um peso, mas muito relaxante, uma vez que você sai da própria cabeça e do ciclo de seus próprios problemas para pensar no próximo.

Mostre interesse sobre os planos futuros do outro. Não saia simplesmente palpitando sobre os projetos dele, pois as pessoas precisam muito mais de cúmplices do que de críticos. Dê um abraço que nutra o coração de vocês dois e mostre que você se importa com ele. Ofereça com sinceridade seus braços, seu conforto e seu calor.

Em geral, nós conversamos sem prestar atenção ao que as pessoas têm a dizer e ficamos só esperando a nossa hora de falar. Ao contrário, coloque sua atenção no outro. Dê a ele seu olhar para que possa abrir seu coração e faça silêncio para ele poder falar tudo o que tem vontade de dizer.

Jamais fique preocupado em fazer a contabilidade nos relacionamentos. Não há problema em você ser cuidadoso para ter ao seu lado pessoas que saibam doar tanto quanto receber, uma vez que, afinal, a troca de afetividade é muito saudável e desejável nos relacionamentos. Assim, não fique contabilizando quem está dando mais na relação. Ficar ressentido porque se sente explorado, porque está dando mais que o outro, é uma cilada que só faz mal a você.

Às vezes, uma mulher fica chateada quando coloca mais dinheiro que o marido em casa. E quem coloca mais bom humor? E se ele dá aquele apoio e incentivo para que ela consiga brilhar na sua profissão? Cada um faz a sua parte da melhor maneira, para que a relação tenha felicidade.

Existem amigos para quem você sempre paga o jantar, mas eles têm histórias deliciosas que promovem momentos de relaxamento e prazer. Por isso, pare de cobrar o que o outro não tem, e aproveite para desfrutar o que ele tem para oferecer.

Seu namorado não é sofisticado? Paciência. Só não deixe isso ser motivo para que você não aproveite o conhecimento dele sobre arte ou sobre qualquer outro assunto que ele domina.

Sua amiga não acompanha você nos programas noturnos e baladas? Paciência. Procure, porém, conhecer os retiros espirituais que ela certamente frequenta. Aliás, quem cultiva estilos diferentes de amizade afasta a rotina tediosa.

Tenha certeza de que você sempre está ganhando em qualquer relacionamento. Ninguém é perfeito para lhe oferecer tudo, nem mesmo você consegue ser completo e atender a todas as exigências das outras pessoas. Cada um de nós pode se ligar ao outro por detalhes e interesses especiais, mesmo não concordando em tudo.

Valorize principalmente o amor. Aproveite o que as pessoas têm de bom para oferecer em vez de só olhar para aquilo que falta e não caia na tentação de transformar os seus relacionamentos em simples *network*.

As pessoas estão fazendo da vida um negócio acima de tudo. Hoje em dia, tudo gira em torno de negócios. Quantas pessoas a gente conhece que se dedicam aos outros esperando receber algo em troca?

Eu fico preocupado quando os "especialistas" orientam os profissionais a criarem muitos relacionamentos, simplesmente porque essas pessoas vão gerar oportunidades de negócios, ou ajudá-los quando estiverem com problemas. Essa preocupação com os interesses comerciais proporciona situações absurdas, como profissionais que nem cumprimentam os outros em um evento para não perderem tempo com quem não vai fechar negócios.

Procure desenvolver amizades porque as pessoas são o que são. Uma amizade, de fato, é a melhor oportunidade para você aprender a amar mais e melhor. Esse deve ser o objetivo da criação de um *network* de verdade.

Fazer networking não é fazer amizades visando parcerias futuras. É conhecer as pessoas em profundidade e formar um círculo de amigos que realmente tenham afinidade com você, para conectar-se naturalmente com pessoas interessantes e cultivar contatos sempre com atos de gentileza, pelo prazer da experiência

É lógico que eu poderia ter muito mais negócios se só investisse tempo em me relacionar com presidentes de empresas, mas minha vida não pode ser reduzida a um negócio. Além do mais, eu não conheceria tantas pessoas lindas que colorem a minha existência.

Sempre me perguntam sobre meu sucesso com as palestras, ou sobre o fato de eu estar na lista dos autores mais vendidos há muitos anos, como se esses fossem os eventos mais importantes da minha vida. A verdade é que nenhum desses acontecimentos, nem perto, trazem a intensidade das emoções que eu senti no momento do nascimento dos meus filhos.

Compreenda que a vida não é um negócio. Nossa passagem por este planeta não é uma viagem de negócios. O sucesso nos negócios tem de ser consequência da nossa alegria em servir ao próximo.

Vejo muitos autores que ficam revoltados quando seus livros não vendem, mas eles quase nunca se perguntam: "Meu livro está ajudando alguém?". Eles quase sempre procuram culpados, sem perceber que somente ajudando o leitor a resolver suas dificuldades é que seus livros serão apreciados.

Felizmente, vivemos um momento lindo da humanidade em que as pessoas que ajudam mais são as mais reconhecidas.

> Estamos passando por momentos de fortes mudanças, de compartilhamento, de solidariedade, de sustentabilidade.

E sustentabilidade engloba criar relacionamentos consistentes, que não se dissolvem como papel na chuva.

Você está acompanhando essa evolução? Faz parte dela? Se a sua resposta for não, reveja seu posicionamento de vida e entre nesse processo de transformação, pois esse é um caminho sem volta. Se você não estiver nele, poderá se perder, pois estamos literalmente "condenados à evolução".

É preciso ser feliz respeitando a si mesmo, para respeitar os outros e ser igualmente respeitado. Respeito é um valor que tem de ser resgatado em todas as oportunidades.

Na canção "The End", os Beatles falam: "The love you take is equal to the love you make". Em uma tradução livre, significa: "O amor que você recebe é igual ao amor que você dá".

> Crie muito amor ao seu redor, porque esse é o lugar onde você viverá. E torna-lo agradável e amoroso é, no mínimo, agir com sabedoria.

Atraia calma e serenidade

Meus amigos da Escola de Meditação Brahma Kumaris têm me inspirado muito para ampliar minha maneira de ver a vida. Este é um dos conhecimentos mais poderosos que recebi deles:

> *O pintor sempre dá início à sua criação a partir de uma tela em branco. O professor sempre apaga as anotações da lousa antes de iniciar uma nova aula. Você também pode agir assim. Apague da sua mente as situações e comportamentos inúteis do passado e comece do zero. Quando tudo está completamente limpo e claro, você consegue assimilar novas tendências e*

> *virtudes. Portanto, verifique com frequência os traços que ainda permanecem em sua tela mental e limpe-os definitivamente. Daí em diante, as novidades começam a chegar.*

Libere seu interior dos pensamentos e sentimentos tóxicos e passe a guardar somente selinhos dourados e valiosos. Algumas atitudes são maravilhosas para isso, como meditar. A meditação é uma maneira de ouvir a si mesmo, ouvir a natureza, ouvir a vida, ouvir Deus. Naturalmente, ela acalma a ansiedade, afasta a angústia e reduz os devaneios.

A sensação de paz e serenidade é imediata. E assim resgatamos a capacidade de estar no aqui e agora e de desfrutar do que existe à nossa disposição na vida. Portanto, serenidade não tem nada a ver com lentidão.

Medite ou ao menos cultive um pouco de silêncio. Concentre-se em aliviar a confusão de coisas e informações não processadas dentro da sua cabeça.

Jogue fora as lembranças que não agregam, e se permita começar o novo dia com o coração limpo de ressentimento.

Não importa se você perceber que vai ter de recomeçar do zero, pois nada melhor que uma tela em branco para começar uma obra-prima.

Limpe o passado para construir o presente

> Você nunca poderá viver o presente e planejar o futuro se deixar o passado constantemente tomar conta de sua mente e travar suas decisões.

Se não parar de ler o primeiro capítulo da sua infância, você não poderá começar a escrever um novo.

Está difícil demais se desapegar dos erros e falhas do passado? Então saiba que mantê-los vivos só vai encher sua mente de tristeza e frustração.

Seja mais gentil consigo mesmo. Encare os tropeços como aprendizado, perdoe-se e aceite com naturalidade o que já passou.

Muitos parecem se acorrentar às mágoas provocadas por outras pessoas. Daí passam a usar essas feridas mal-cicatrizadas como desculpas para não se comprometerem com sua vida atual.

Somente quem se liberta das dores do passado pode viver o presente e construir o futuro. **E quem decidiu ser louco por viver não tem mais tempo para se ocupar com o passado.**

Ficar apegado ao que já está sacramentado não combina com a vida de um apaixonado. E você não pode mais adiar cuidar de seus sonhos.

Então, limpe sua mente, libere-a daquilo que não é saudável e útil para sua realidade de hoje, pois isso só atrapalha a sua caminhada.

As pessoas gastam tempo e energia tentando achar justificativas e culpados por não se tornarem o que elas são capazes de ser. E não têm fôlego para permanecer no rumo certo e progredir.

O que dizer daqueles "amigos" que sugam sua esperança, que parecem carregar aquela nuvem preta do pessimismo sobre a cabeça? Afaste-se deles, pois não fazem bem a você.

> Liberte-se de tudo que tiver potencial de virar obstáculo fantasioso.

Imagine-se tentando dar uma festa de casamento em uma casa bagunçada e entulhada de coisas velhas. Onde sentarão os convidados? De onde a noiva jogará o buquê?

O mesmo serve para a mente, que deve ficar mais limpa, mais livre, mais leve, mais positiva. Não há como fugir dessa faxina para pôr ordem na casa.

Se quer ser feliz, tudo de ruim que você traz do passado precisa ser abandonado. É página virada, é capítulo encerrado, não tem de estar emperrando seus sonhos.

Talvez você hoje esteja sofrendo porque seu ex-marido, que já casou de novo e tem filho com outra mulher, ainda a atiça dizendo que está com saudades. Mas é óbvio que ele não voltará para você e apenas ficará nesse "chove não molha".

Ou você está lutando para abandonar as drogas e aparece um "amigo da onça" convidando-o para sair. É claro que vai haver drogas, e sua tentação de voltar ao vício será enorme.

Talvez você tenha tido um sócio que lhe causou uma grande decepção. E você fica se remoendo por ter confiado nele e se perguntando "Como ele foi capaz?". Essas pessoas (como o ex-marido, o amigo drogado, o sócio desleal...) têm de ser deixadas em um local muito específico: no passado!

Talvez você até possa sentir uma saudade gostosa dos bons momentos que viveu com pessoas no passado, mas é só. Ponto-final! Aquela antiga vida já não serve mais para você. E é bem provável que ela nem tenha sido tão boa assim. Seja realista sobre o que aconteceu e pense com clareza:

- Se o casamento com seu ex-marido era tão maravilhoso assim, vocês não teriam se separado.
- Você ouve seu corpo gritar por socorro quando chega perto daquele amigo que é mais amigo das drogas do que de seu bem-estar.

- *Seu sócio traiçoeiro costumava trazer mais estresse do que parceria.*

Não fuja do presente fantasiando um passado maravilhoso que, na verdade, não existiu. Deixá-lo para trás é fundamental para curtir o que você pode ganhar hoje, agora, já.

É preciso identificar quais são as pessoas que não merecem caminhar ao seu lado e quem são aquelas de quem você deve manter uma distância de segurança. Ambas são como um câncer que você tem de extirpar se quiser reorganizar sua vida.

Uma dica para identificar essas pessoas: elas criam problemas o tempo todo e não há como você satisfazê-las. É como enxugar gelo: um trabalho inútil e desgastante.

É impossível viver bem se você estiver arrasado com os estragos que elas fazem no seu cotidiano. Não dá para ficar consumindo seu combustível com esse tipo estraga-prazer. É como minha mãe dizia: não gaste vela com mau defunto. Ou como se diz no mundo empresarial: não adianta colocar dinheiro bom em cima de dinheiro ruim.

Quando você estiver numa situação assim, aceite que tudo acabou e precisa ser enterrado. E parta para coisas diferentes, com mais chances de dar certo. Para ficar feliz de verdade e sem precisar pedir socorro às ilusões.

Abra-se para o novo, dê oportunidade a outras situações e pessoas. Querer ter uma vida nova sem abrir mão dos hábitos antigos não funciona! Você só vai conseguir segurar algo novo se deixar cair de sua mão as coisas velhas que está segurando.

Lembre-se: a maneira como você vê o futuro é que vai levá-lo a esse lugar. Portanto, limpe sua mente da tristeza, da frustração e da depressão que você traz do passado e tenha uma visão de futuro que seja o que você quer, e não o que não quer.

Geralmente, as pendências do passado têm a ver com coisas que você se arrepende de ter feito, ou de não ter feito:

- Se você se arrepende de ter feito algo, peça desculpas à pessoa que ofendeu, e depois siga em frente.
- Se você se arrepende de não ter feito algo, dê adeus a essa situação e esqueça isso de uma vez por todas. Continue seu caminho, atento às novas possibilidades.
- Se você casou só porque não teve coragem de terminar um namoro longo – mas depois se separou –, pense que agiu conforme o que tinha de condições de compreender a situação naquela época. Não adianta se culpar por isso agora que está mais maduro e enxerga a situação de modo diferente.
- Se existe algo que você pode fazer por si mesmo para viver com paixão, faça. Não fique sofrendo pelo que já foi. Perdoe-se porque você fez o melhor que pôde naquele momento.

Ninguém tem poder ou riqueza bastante para mudar ou desfazer o passado. O que se foi não tem remédio. E ninguém terá riqueza e felicidade suficientes se não se desvincular do passado. Por isso, abra espaço para caber felicidade no seu coração e riqueza na sua vida!

Procure o lado positivo das coisas

Quando estão aprendendo a caminhar, os bebês caem sentados e se levantam ainda mais determinados a andar com as próprias pernas, pois essa é a natureza e a essência do aprendizado. Levam um tempão escalando a cadeira ou a poltrona e adoram subir escadas.

Por que, quando crescemos, perdemos essa disposição e começamos a duvidar da nossa competência?

As pessoas mais felizes e interessantes ousam mais e se abastecem de um combustível poderoso, que é a curiosidade. Em compensação, ninguém aguenta uma companhia pessimista por muito tempo.

Não valide pensamentos negativos dela. Se não puder se afastar, não faça coro. Sua felicidade depende muito da sua capacidade de diluir esses pensamentos.

Para ser feliz, é necessário ver as pessoas e as coisas sempre com uma visão positiva.

Sair julgando mal tudo e todos sem nem conhecer torna o coração amargurado e afasta as pessoas que amam de verdade.

Quando os pensamentos negativos aparecerem, pare por uns instantes, observe-os e se pergunte: eu preciso mesmo ficar ressentido ou preocupado com isso?

> E continue: que importância isso terá daqui um ano? O que vai me acrescentar? Será que estou tendo algum tipo de preconceito?

Tome conta de seus pensamentos, pois eles o levam às ações que geram consequências. Não dê forças àquilo que fará você sofrer. Invista sempre energia positiva em tudo e isso lhe dará mais motivação para continuar a subir as escadas da felicidade.

Depois de alguns minutos injetando energia positiva em seus pensamentos, você vai se dar conta de que é maior do que tudo o que possa estar tentando perturbar você.

Tenha uma atitude **saudável**. Acredite que tudo vai dar certo. A sua maneira de ver tudo com os olhos da fé facilita sentir-se de bem com a vida.

Desenvolva uma atitude confiante

Pessoas felizes confiam na vida. Por isso, elas agem com a certeza de estarem no melhor caminho. Acreditam que tudo na existência foi feito para dar certo.

As pessoas erram e acertam, pois essa é a natureza e a essência do aprendizado. Contudo, quando transformam decepção em sabedoria, o aprendizado passa a fazer sentido.

Os mais felizes são justamente os que **acreditam** mais, mas também erram mais, simplesmente porque **tentam** mais vezes.

A atitude confiante é tudo, uma vez que as dificuldades são inevitáveis. Mais ainda: elas são necessárias para dar o tempero da felicidade em nossa vida.

Então, tudo depende da sua atitude diante dos fatos. É a sua mente, e não seus inimigos, que pode levá-lo ao inferno. Mas também é a sua mente que pode levá-lo ao paraíso.

Falar sobre seus problemas o tempo todo é o maior erro. Portanto, fale de seus planos e principalmente faça alguma coisa para realizá-los. Na verdade, preocupar-se demais só com os problemas afasta as soluções.

Para ser feliz é fundamental que você tenha a habilidade de esquecer as coisas ruins que você viveu e melhore sua memória para as coisas boas que aconteceram com você.

> O escritor J. D. Salinger tem uma frase maravilhosa: "Eu sou um paranoico ao contrário. Sempre suspeito que as pessoas estão conspirando para me fazer feliz".

Procure jogar fora pensamentos do tipo "Acho que não consigo". Sua felicidade depende da capacidade de diluir essa voz interior desanimadora que não contribui para seu crescimento.

Siga confiante, vivendo suas paixões. Dê espaço para elas se mostrarem, não as delete só por medo de falhar.

Confiança é isso: bancar os próprios sonhos, entender que na vida existem muitos obstáculos, mas mesmo assim continuar fazendo aquilo que a alma pede.

Tudo está no seu modo de pensar. Ninguém pode ter paixão trabalhando em algo em que não acredita obter sucesso. **Nenhum objetivo tem sentido se você acreditar que ele é inatingível**. Isso só vai trazer frustração e baixar sua autoestima.

A felicidade vem quando você coloca sua energia e seu trabalho em algo em que acredita, pelo qual é apaixonado, sentindo que consegue fazer bem. E aí sai batalhando por isso.

Os problemas da nossa vida podem nos tornar seres mais amargos ou mais doces. Somos nós que escolhemos qual sabor queremos ter. Com uma atitude confiante, você sempre vai poder adoçar sua vida e a de todos ao seu redor.

Aprenda a dizer sim

Dizer sim tem de ser um hábito. Como reforça Lulu Santos, na canção "Tempos modernos": "Eu vejo um novo começo de era, com gente fina, elegante e sincera, com habilidade para dizer mais sim do que não!".

Desenvolva a habilidade de dizer mais "sim" para os convites. Sim, até mesmo para tudo aquilo que você ainda não sabe direito como vai terminar. E, para sua felicidade, aprenda a dizer não somente quando for realmente necessário.

Experimente novos sabores da vida!

- Uma amiga convidou para um evento de música eletrônica? Diga sim! Talvez você não goste, mas pelo menos experimente.
- Seu irmão convidou para uma festa? Mesmo que você "tenha certeza" de que vai ser uma "furada", diga sim

porque um dos amores da sua vida pode estar nessa festa esperando por você.
- Sua mãe insiste que você a acompanhe ao médico? Vá. Além de fazer uma gentileza para ela, você criará uma oportunidade para aquela conversa sobre a vida, que só acontece quando não combinamos de tê-la.

Abra-se para as oportunidades da vida sempre. Se você está sendo convidado, algum motivo teve, tem ou terá...

Quem se acomoda pensa que está seguro ao ficar parado, mas, nesse mundo tão dinâmico em que estamos, vai andando para trás. Como se estivesse numa esteira rolante ao contrário. Até que de repente toma um susto ao ver quanto retrocedeu.

No entanto, dizer sim pode conduzir sua vida para a frente e permitir prazeres que só um espírito de inovação e aventura pode proporcionar.

Procure se colocar sempre na postura de um experimentador da vida.

Eu me lembro de uma vez em que saltei de *bungee jump*. Esses esportes radicais começaram a entrar na moda, e percebi que me causavam muito medo. Um dia, eu estava em um curso no Havaí e uma turma grande decidiu saltar de *bungee jump*. Claro que minha primeira reação foi dizer que eu não era louco de me arriscar sem motivo!

Então, um dos colegas falou: "Será que simplesmente enfrentar seus medos não é um bom motivo?". Essa frase me tocou forte e eu saltei.

É lógico que essa experiência foi muito importante! Mais lógico ainda é a certeza de que eu nunca mais vou saltar, mas foi um marco na minha vida.

Quais são os saltos que você pode dar, e quais riscos topa correr, para realizar o que quer na vida?

9
aceite o convite para o novo momento da sua vida

A esta altura, talvez você sinta vontade de me perguntar: "Mas, Roberto... A sua vida não tem problemas?".

Tem milhares deles! O tempo todo! No entanto, quando estou com a consciência alerta, prefiro mais ver os problemas como convites para novas aventuras.

Certa vez, um assistente meu deixou de trabalhar comigo e levou toda minha clientela dos grupos de desenvolvimento pessoal para o consultório dele. Ele era bem competente e conseguiu essa façanha.

Fiquei chateado por um tempo, mas logo depois percebi que havia chegado o momento de eu partir para uma nova fase da minha vida. E acabei participando do movimento que criou as palestras organizacionais no Brasil.

Talvez neste instante você esteja chorando a dor de um amor que terminou. Não gaste seu tempo alimentando raiva da pessoa que partiu. Nem fique se remoendo com essa situação.

Encare a separação como um convite para uma nova etapa, para um novo romance. Agradeça por tudo de lindo que vocês viveram, aceite que terminou e siga em frente.

Talvez você tenha sido demitido do trabalho e se sinta perdido e esteja questionando seu valor como profissional. Existem ciclos que precisam acabar e, quando a hora chega, a vida dá um jeito de pôr um ponto-final.

Onde está aquele seu projeto engavetado? Onde está aquele curso que sempre foi seu sonho? Este é o momento que a vida lhe ofereceu para poder olhar para aquela parte do caminho que parecia impossível de ser desbravada.

Abra as gavetas, abra os armários, olhe no fundo do seu coração e reencontre os planos que você fez para ser feliz! Agora é o momento ideal de colocá-los em prática!

Tenho uma amiga jornalista que se realizou como escritora e palestrante depois de ter sido preterida em uma promoção na empresa em que trabalhava havia anos. Se ela sofreu? Muito. Entretanto, buscou uma forma positiva de lidar com essa dor, transformando-a em nova chance de ser feliz.

As grandes revoluções da minha vida aconteceram após eu ver que as minhas ideias tinham ficado velhas e obsoletas. Ou que a minha vida como eu a conhecia estava desmoronando. Aí eu tive de sair para desbravar novos caminhos.

Quando queremos realizar um novo objetivo, temos de ter em mente que o processo consiste em aprender, em dar um novo passo, em errar bastante e aprender mais, fazer de novo, e de novo, até conseguir. É isso que faz a vida valer a pena.

> Todos os dias, arrume uma encrenca maior como provocação a si mesmo.

Enfrentar desafios maiores a cada dia vai torná-lo muito mais forte.

Nunca deixe que pessoas pequenas o convençam de que seus sonhos são muito grandes. É importante lembrar que cada um conhece o caminho para a própria felicidade, pois ela é única e exclusiva.

E que você sempre **ganha** com tudo o que acontece de bom ou nem tanto assim, tropeçando e pisando firme, caindo e se levantando ainda mais forte.

Um problema é como o tiro que dá início às grandes corridas: você pode considerá-lo estressante, barulhento demais e que a pressão que ele carrega para que você se mexa é grande demais para aguentar... Ou pode ver que o tiro de largada é a chance de correr apaixonado por sua vida.

Tem gente que passa a vida tentando evitar a dor, aí não vive intensamente. Ter perdas e frustrações é uma coisa extremamente democrática: não poupa ninguém mesmo, não há um único ser humano que possa se dizer livre da dor de algo importante que terminou.

Quando você tem uma perda, é preciso aceitar e chorar a sua tristeza, mas depois levantar os olhos e ver que ainda existem muitas aventuras para viver e ser feliz, e comemorar essas oportunidades.

Gosto muito de uma frase que diz tudo sobre mudanças na nossa vida: "Não chore porque acabou, sorria porque aconteceu".

Mesmo que eu soubesse que o mundo vai acabar amanhã, ainda assim eu continuaria a espalhar hoje a minha mensagem.

Celebre tudo o que você viveu e prepare as malas para uma nova viagem.

10

coloque um sorriso no rosto das pessoas

Depois dos 60 anos, comecei a ter uma experiência intensa, que é a passagem de amigos queridos. Eram pessoas especiais que partiram para outra dimensão. Como sempre, procurei conversar com eles nos últimos momentos deles nesta vida.

Para mim, uma das referências mais fortes que existe é ver como as pessoas estão no momento da sua passagem.

Aquelas que estão em paz quando chega o fim do ciclo são exemplos de quem viveu intensamente.

As angustiadas, com medo de começar uma nova aventura, geralmente mostram que viveram longe da realização de suas almas.

Há alguns meses, tive um momento para conversar com uma amiga querida que veio a falecer alguns dias depois. Que conversa linda! Poder falar das experiências vividas, conhecer os bastidores de alguns episódios que eu não entendia porque aconteceram daquela maneira e, especialmente, saber do significado desses eventos na vida dela.

Eu tinha sido terapeuta do filho dela, que morreu de uma doença muito dolorosa. E, em certo momento, ela me falou: "A dor do meu filho foi muito mais leve porque você ajudou a carregá-la. Ele sempre ficava horas sorrindo depois de suas visitas".

Não consegui segurar as lágrimas. A sensação de ter ajudado alguém é sempre sublime. Aquela conversa ficou ressoando em minha mente por semanas.

Hoje, eu tenho certeza de que o que realmente importa na vida é a quantidade de sorrisos que você coloca no rosto das pessoas.

Muitas pessoas vivem simplesmente correndo atrás de bens materiais e não percebem que tornar-se parte **presente** na vida dos outros é o que realmente conta.

Ajudar a colocar um sorriso no rosto das pessoas que estão ao seu redor é o melhor alimento para a alma. Lembre-se de quando se derrete com o sorriso de uma criança.

Muitas vezes, entramos em um prédio e nem olhamos para o vigia, ou no elevador e nem falamos com a ascensorista.

Quando há uma pessoa limpando o chão, um frentista no posto de gasolina, não custa nada fazer um elogio e dar um sorriso. Isso pode significar um dia mais feliz para essas pessoas, e para você também.

Quer ser mais feliz? Ajude os outros a serem mais felizes!

As pessoas querem receber ajuda, mas não percebem como é importante ajudar os outros. Quem faz isso é mais feliz do que quem vive sendo ajudado.

Descubra a verdadeira dimensão de ser útil ao próximo, sinta essa boa energia retornar em dobro. Este é um ótimo jeito de você voltar a sorrir e voltar a fazer os outros sorrirem.

> Um sorriso pode significar que a pessoa recuperou a esperança, se sentiu importante de novo e encontrou um caminho para agir.

Ou mesmo que teve um sopro de alegria, mesmo em meio a uma onda de dor.

Um dos presentes mais lindos que existe é ver o sorriso de alguém que chegou chorando para conversar com a gente.

Somos responsáveis pelo que fazemos, pelo que não fazemos e pelo que impedimos ou ajudamos os outros a fazer.

Por isso, estampe um **sorriso** gostoso no semblante das pessoas. Tenha isso como jeito de viver. Dê esperança, dê amor, dê cumplicidade a elas. Qualquer sorriso que as faça lembrar que ainda é possível ser feliz.

No balanço final da sua jornada, o que vai contar mesmo é quantos sorrisos você colocou no rosto de quantas pessoas. Esse será o resultado que dará sentido e dimensão à sua vida.

Tenha sempre em mente: Não é por ser feliz que você sorri... É por sorrir e colocar sorrisos no rosto das pessoas que você é feliz.

Sorria e faça os outros sorrirem!

Faça muita gente feliz e seja muito feliz!

Um grande abraço,
Roberto Shinyashiki

Gerente Editorial
Mariana Rolier

Editora
Marília Chaves

Editora de Produção Editorial
Rosângela de Araujo Pinheiro Barbosa

Controle de Produção
Fábio Esteves

Preparação
Gabriela Ghetti

Projeto gráfico e Diagramação
Pedro Oliveira / Ostra Design

Capa
Pedro Oliveira / Ostra Design

Revisão
Sirlene Prignolato

Copyright © 2013 by Roberto Shinyashiki
Todos os direitos desta edição são
reservados à Editora Gente.
Rua Pedro Soares de Almeida, 114,
São Paulo, SP – CEP 05029-030
Telefone: (11) 3670-2500
Site: http://www.editoragente.com.br
E-mail: gente@editoragente.com.br

Este livro foi impresso pela Farbe Druck em papel norbrite 66,6 g em dezembro de 2019.

Dados Internacionais de Catalogação na Publicação (CIP)
(Câmara Brasileira do Livro, SP, Brasil)

Shinyashiki, Roberto
  Louco por viver / Roberto Shinyashiki. --
São Paulo : Editora Gente, 2013.
  ISBN 978-85-7312-860-4
  1. Autorrealização 2. Conduta de vida 3. Felicidade 4. Qualidade de vida I. Título.

13-04883 CDD-158

Índices para catálogo sistemático:
1. Conduta de vida : Psicologia aplicada 158